HANDBUCH DER SPEZIFISCHEN LERNFÖRDERUNG

LERNEN KANN MAN LEHREN!

Dr. Astrid Kopp-Duller

Dr. Livia R. Pailer-Duller

Wir möchten einen herzlichen Dank unseren Hundedamen Eve und Leia aussprechen, die uns bei unserer Arbeit mit ihrer Freundlichkeit, ihrer Sanftmut und ihrer Geduld stets begleitet haben. Leider konnte Eve die Fertigstellung dieses Werkes nicht mehr miterleben. Sie wird stets in unserem Herzen weiterleben!

ISBN 978-3-902657-35-0
Dr. Astrid Kopp-Duller
Dr. Livia R. Pailer-Duller
© Dyslexia Research Center AG
Mai 2019

EÖDL-Verlag
Feldmarschall Conrad Platz 7
9020 Klagenfurt
Österreich
Tel.: +43 463 55660
Fax: +43 463 269120
E-Mail: office@legasthenie.at
Internet: https://www.Legasthenie.at
Buch: https://www.Lernfoerderung.com

Umschlag, Grafiken, Layout:
Dr. Livia R. Pailer-Duller, Mario Engel

INHALTSVERZEICHNIS

VORWORT 6

ZUM POSITIVEN MITEINANDER VON LEHRENDEN UND LERNENDEN 9

PROBLEME IN DER SCHULE WERDEN NICHT IMMER VON ECHTEN LERNSTÖRUNGEN VERURSACHT 14

THEORETISCHER HINTERGRUND ZUR RELEVANZ VON SINNESWAHRNEHMUNGEN FÜR LERNPROZESSE 20

PÄDAGOGISCHE FÖRDERDIAGNOSTIK 30

Pädagogischer Sinneswahrnehmungstest im Vorschulalter (PSV) 31

Lern- und Fernförderung (LFF): Diagnose – Förderung – Kontrolle 38

Förderdiagnose Deutsch 43

Förderdiagnose Mathematik 51

Learnedy: Diagnose – Practice – Re-test 56

Förderdiagnose Englisch 57

Pädagogisches AFS-Testverfahren 62

GRUNDSÄTZE DER SPEZIFISCHEN LERNFÖRDERUNG 68

Förderung im Vorschulalter 69

Lern- und Fernförderung (LFF) & Learnedy 71

Aufmerksamkeit – Funktion – Symptom (AFS) – Methode 74

Schwerpunkte der Lerninhalte von der Grund- bis zur Mittelschule 76

Tipps für das erfolgreiche Lernen 88

Materialien für die spezifische Lernförderung 90

Förderspiele am Computer, Tablet oder Smartphone 99

FALLBEISPIELE AUS DER SPEZIFISCHEN LERNFÖRDERUNG 106

Lernversagen durch Mobbing 107

Das Sehen und das Hören sind Schüsselfunktionen 110

Verkannte Fähigkeiten 113

Potentielle Suchtgefahr 117

Unaufmerksamkeit und Überaktivität sind nicht immer pathologisch 120

Lernhemmnisse durch ein verändertes Umfeld 124

Motivation für gute Schulerfolge 127

Verluste führen zu Lernproblemen 129

Richtige Ernährung für ein problemloses Lernen 131

Erschwertes Lernen durch AD(H)S 134

Sozial-emotionale Probleme 136

Prüfungsangst nur im Fach Mathematik 139

Lernstress durch Überforderung   141

Fehlende Lernstrategien   143

Unbewusste Lernverweigerung   145

Mangelndes Selbstvertrauen   148

Jeder Mensch lernt individuell   150

Schulbesuchsverweigerung   153

Bereuter Schulabbruch   157

Lernblockaden   159

Deutsch als Zweitsprache   162

Hilfestellung für die Führerscheinprüfung   165

Verhaltensauffälligkeit als Grund für Schulprobleme   168

Vor einem Publikum sprechen   171

Erwachsener mit Leseproblemen   174

NACHWORT   177

WEITERFÜHRENDE LITERATUR   180

Immer wieder und immer häufiger benötigen Schulkinder, Jugendliche oder Erwachsene aus sehr unterschiedlichen Gründen eine Lernberatung und Hilfestellung für eine nachhaltige Lernmotivation sowie eine spezifische Lernförderung: Sei es, damit Lernrückstände aufgeholt werden, damit die nächste Klassenstufe erreicht werden kann oder lediglich der Klassenstandard gesichert wird, damit an den Wissensstand der Klasse ein Anschluss gefunden werden kann, damit ein Schulabschluss der Haupt- oder Realschule gelingt oder auch die Matura oder ein Abitur gemacht werden kann. Da in den meisten Schulen hierfür kaum schulische oder schulnahe Förderungen angeboten werden, sind es meistens Spezialisten, die im außerschulischen Bereich auf pädagogisch-didaktischer Ebene tätig sind, welche in diesen Bereichen zum Einsatz kommen.

Nicht immer sind lediglich Versäumnisse beim Erlernen des Schreibens, Lesens oder Rechnens die Ursache von Lernproblemen, sondern auch vielfach anderweitige Probleme, die mit der Persönlichkeit des Betroffenen und dessen Umfeld zusammenhängen. Allgemeine Lernunlust und auch die heutige weit verbreitete Unfähigkeit, sich beim Lernen einer ausreichenden Aufmerksamkeitsfokussierung zu bedienen, führen schließlich zu massiven Lerndefiziten, die weder durch die Hilfe von Eltern noch - oder schon gar nicht - durch den Betroffenen selbst wieder in erfolgreiche Lernbahnen gelenkt werden können. Deshalb ist es in vielen Fällen notwendig, sich an einen Spezialisten zu wenden, der auf pädagogisch-didaktischer Ebene helfen kann. Eine außerschulische Lernförderung auf pädagogisch-didaktischer Ebene wird aber auch dann notwendig werden, wenn sich beim Lernenden anderweitige Probleme in physischen oder psychischen Bereichen ergeben, die einen gedeihlichen schulischen Ablauf verhindern.

Eine spezifische Lernförderung soll einen gezielten, auf die Bedürfnisse des einzelnen Förderkandidaten abgestimmten Zusatzunterricht leisten, der sich an dem Lehrplan und dem Leistungsstand orientiert. Der außerschulische Unterricht wird nach Erstellung eines detaillierten und überschaubaren Förderplanes nach erfolgter pädagogischer Förderdiagnostik stattfinden, denn eine Lernproblematik verlangt immer eine individuelle und spezifische Herangehensweise. Diese Lernförderung wird zumeist zeitlich befristet sein.

In der Arbeit mit Kindern, Jugendlichen und auch Erwachsenen ist es sehr wichtig, an die Problembereiche professionell heranzugehen und geeignete Lösungswege zu suchen. Der erste Schritt wird darin bestehen, dass man dem Betroffenen dabei hilft, seine Probleme besser zu erkennen, diese zu akzeptieren und damit umzugehen. Erst dann kann man den nächsten Schritt machen und nach einer geeigneten Hilfe Ausschau halten. In manchen Fällen wird dies sehr basal und Schritt für Schritt erfolgen müssen. Jeder Mensch mit Lernproblemen hat seine ganz individuelle Problematik, weshalb in jedem Fall eine individuelle Hilfe erfolgen muss. Pädagogisch-didaktische Grundsätze werden bei der spezifischen Förderplanung zum Einsatz kommen.

Spezialisten wie diplomierte Lerndidaktiker, diplomierte Legasthenie- und Dyskalkulietrainer sind nicht nur dafür ausgebildet, Kindern, Jugendlichen und auch Erwachsenen gezielt auf pädagogisch-didaktischer Ebene in jenen Bereichen zu helfen, wo deren Schwierigkeiten liegen, sie sind auch bestens darauf vorbereitet, Ursachen von sämtlichen Lernproblemen zu entdecken und ausgewogene Förderpläne zu erstellen. In der spezifischen Lernförderung wird aber nicht nur an den Problemen gearbeitet, sondern auch die Stärken werden hervorgehoben und intensiviert.

Wichtig ist es dennoch für alle Beteiligten, klar zu erkennen, dass Lernprobleme stets nur dann behoben werden können, wenn dies der ehrliche Wille des Betroffenen zulässt und er mit vollem Einsatz mithilft, Verbesserungen zu erwirken.

6. Mai 2019

ZUM POSITIVEN MITEINANDER VON LEHRENDEN UND LERNENDEN

Eine grundlegende Voraussetzung für ein erfolgreiches Lernen ist, dass Lehrende und Lernende eine positive Einstellung zum gemeinsamen Projekt, zur spezifischen Lernförderung, haben. Nur wenn diese Grundhaltung von beiden Seiten ausgeht und für die Beteiligten klar erkennbar ist, können gezielte individuelle Interventionen erfolgen, die letztendlich von Erfolg gekrönt sein werden.

Auswahl des Lernpartners

Speziell in der außerschulischen Lernförderung ist es ratsam, dass sowohl Helfende als auch Hilfesuchende sich den geeigneten Lernpartner wohlüberlegt aussuchen. Die Praxis zeigt, dass sich eine gezielte Suche letztendlich lohnt, weil der manchmal doch sehr holprige Weg der spezifischen Lernförderung wesentlich erleichtert wird.

Der Lehrende sollte von der Möglichkeit Gebrauch machen, sich seine Klienten auszusuchen, denn er sollte seine Ressourcen nicht leichtfertig vergeben. Lernende, die unwillig sind, verhindern nicht nur, dass für andere Lernwillige nicht ausreichend Zeit zur Verfügung steht, sondern auch, dass die Aussicht auf einen Lernerfolg schwindet. Anders als in der Schule können sich Spezialisten, die außerschulisch auf pädagogisch-didaktischer Ebene arbeiten, sehr wohl ihre Schüler aussuchen. Von dieser Möglichkeit sollte man unbedingt, ohne Wenn und Aber, Gebrauch machen.

Gar nicht selten aber wandeln sich Schüler, die sich vorerst unwillig und wenig verständnisvoll zeigen, durch eine geschickte, diplomatische Vorgehensweise des Unterrichtenden und auch durch dessen umfangreiche Erklärungen sogar zu eifrigen Lernenden. Deshalb hat es sich bewährt, nicht sofort zu entscheiden, ob man eine spezifische Lernförderung durchführen möchte oder nicht. Jeder Mensch sollte eine Chance bekommen! Zeigt sich jedoch, und dies geschieht erfahrungsgemäß – wenn überhaupt – eher rasch, dass der Lernende nicht den nötigen Einsatz zeigt bzw. die nötige Motivation nicht gelingt, dann sollte der Spezialist den notwendigen Schritt tun und den Förderunterricht nicht weiterführen.

Auch der Lernwillige hat seine Rechte in Bezug auf die richtige Auswahl eines Lernpartners. Eine gegenseitige Sympathie ist für ein gutes Funktionieren der Förderung unbedingt notwendig. Ist also der erste Eindruck beim Kennenlernen ein positiver, so sollten Probestunden folgen. Sollte jedoch der Lernende an dem ihm vorgestellten Lehrenden keinen Gefallen finden, so ist es notwendig, die Gründe dafür zu eruieren. Diese sind oft vielfältig. Auf jeden Fall muss ausgeschlossen werden, dass der Schüler mit der Ablehnung bezwecken möchte, dass überhaupt keine Förderung stattfindet. Solche unrealistischen Gedankengänge findet man besonders bei jüngeren Kindern. Auch andere Punkte sind in Erwägung zu ziehen. Ein klärendes Gespräch, das der Lernende mit einer Vertrauensperson oder mehreren Ansprechpartnern aus seinem Umfeld führt, sollte zielführend sein. Danach sollte die Entscheidung getroffen werden, ob eine außerschulische

Förderung in Betracht gezogen wird und an welchen Spezialisten man sich wendet.

Lernumgebung

Die Umgebung, in der ein Unterricht stattfindet, spielt für viele Lernenden ebenso eine wichtige Rolle. Auch in dieser Hinsicht muss ein Wohlfühlen empfunden werden, denn in der Praxis hat sich oftmals gezeigt, dass diesem Punkt unbedingt Beachtung geschenkt werden muss. Spezialisten, die im außerschulischen Bereich arbeiten, sind sehr wohl über die Notwendigkeit informiert, Lernenden einen hellen und freundlichen, gut organisierten Arbeitsplatz, der wenig Ablenkung mit sich bringt, zur Verfügung zu stellen.

Zeitaufwand und Planung

Eine Lernförderung ist verständlicherweise immer mit einem größeren Zeitaufwand und vor allem mit einem umfassenden persönlichen Einsatz verbunden, der sowohl vom Lehrenden als auch vom Lernenden geleistet werden muss. Sehr wichtig ist es, am Beginn einer Lernförderung Gespräche über jene Bereiche zu führen, die in dem jeweiligen Fall dazu führten, dass Lerndefizite entstanden sind. Dabei werden sich auch weitere Ansatzpunkte in der Lernförderung herauskristallisieren, die für einen Fortschritt sehr wichtig sind. Es soll grundsätzlich ein gegenseitiges Verständnis zwischen Lehrenden und Lernenden vorherrschen und es ist sehr wichtig, dass die Einsicht beim Lernenden vorhanden ist, dass ein Aufholprozess stattfinden muss und dieser sich über einen längeren Zeitraum erstrecken wird. Keinesfalls darf man diesen doch sehr relevanten Punkt als Lehrender herunterspielen, denn dies würde früher oder später zu einem Unmut beim Lernenden führen.

Ein wichtiger Punkt ist auch, dass der Lernende über die Förderplanung, die Inhalte der Lernförderung, aufgeklärt wird, damit er ungefähr abschätzen kann, was auf ihn zukommt. Natürlich wird es im Laufe der Förderung immer wieder zu Kursänderungen kommen, da der Unterricht individuell gestaltet werden muss.

Gegenseitige Achtung und Vertrauen

Stets sollte eine gegenseitige Achtung vorhanden sein. Sowohl der Lehrende als auch der Lernende müssen bemüht sein, dem anderen den nötigen Respekt entgegenzubringen. Abstand sollte davon genommen werden, den Lernpartner als Kumpanen zu betrachten, denn solche Verhältnisse sind für langfristige Lernerfolge eher hinderlich.

Klare Fronten zwischen dem Lehrenden und Lernenden sollten jederzeit bestehen, damit gegenseitiges Vertrauen entstehen kann. Dem Lernenden muss bewusst sein, dass es seine Lernsituation verlangt, dass ihm bei der Verbesserung jemand zur Seite steht. Je besser er dies akzeptieren kann, desto besser wird auch die Zusammenarbeit gelingen. Der Lehrende wird sich selbstverständlich nach bestem Wissen und Gewissen bemühen, den Weg für bessere Lernleistungen zu bereiten. Es ist aber sehr wichtig, dass das Bewusstsein bei beiden Seiten vorhanden ist, dass die Bemühungen nie einseitig sein dürfen. Lernprozesse können auf unterschiedliche Weise erfolgen. Stets wird der Lehrende aber in jedem Fall einen lernwilligen und interessierten Lernenden benötigen, damit sich der gewünschte Erfolg einstellt. Damit Lehrende wirksam arbeiten können, benötigen sie einsichtsvolle und vor allem motivierte Lernende!

Pädagogen, die eine spezifische Lernförderung durchführen, sind Lehrerpersönlichkeiten, die eine didaktische, methodische und auch diagnostische Kompetenz haben und für die Lernenden ein lernförderliches Klima schaffen, was eine Motivierung und Aktivierung des Lernens ermöglicht.

PROBLEME IN DER SCHULE WERDEN NICHT IMMER VON ECHTEN LERNSTÖRUNGEN VERURSACHT

Nicht alle Kinder, die in der Schule Probleme haben, leiden tatsächlich unter einer „Lernstörung". Mit dieser Bezeichnung wird viel zu oft leichtfertig umgegangen, meistens aus Unwissenheit oder aufgrund von unterschiedlichen Standpunkten, um jede Unregelmäßigkeit zu beschreiben, die Kindern in der Schule widerfährt. Dieser Umstand trägt nicht selten vor allem bei den Eltern zu einer großen Unsicherheit bei. Tatsächlich ist die Abgrenzung auch nicht immer ganz einfach, da Lernschwierigkeiten viele verschiedene Gesichter haben können, die, anders als bei echten Lernstörungen, aber nicht unbedingt einen physischen oder psychischen Hintergrund haben müssen.

Es fallen auch die Definitionen von Lernstörungen sehr unterschiedlich aus, da die Standpunkte von verschiedenen Berufsgruppen oftmals weit auseinandergehen. Deshalb sollte man sich als pädagogisch Tätiger stets, auch bei schon vorhandenen Gutachten, die durch Gesundheitsberufe oder Pädagogen erstellt worden sind, selbst ein Bild nach pädagogisch-didaktischen Grundsätzen über die Lernprobleme des Kindes machen, bevor eine spezifische Lernplanung und eine anschließende Lernförderung stattfinden. Wichtig ist, dass man die Ursache für die Schwierigkeiten herausfindet und entsprechende Gegenmaßnahmen in Form einer aktiven individuellen Hilfe an die Probleme des jeweiligen Betroffenen anpasst.

Eine gute Richtlinie für Spezialisten, die auf pädagogisch-didaktischer Ebene mit Menschen mit Lernproblemen arbeiten, ist, Folgendes zu hinterfragen: Ist die jeweilige Problematik tatsächlich pathologisch und damit ein echtes Krankheitsbild bzw. eine echte Lernstörung oder sind eventuell nur Symptome vorhanden, die jenen eines Krankheitsbildes gleichen, jedoch keine Lernstörung sind, da andere Faktoren und Umstände zu schlechten Leistungen führen, die einen nicht-physischen oder nicht-psychischen Ursprung haben, z.b. Schulunlust etc.? Die Grenze, wo eine echte Lernstörung beginnt, die man nicht allein durch pädagogisch-didaktische Maßnahmen lösen kann, sodass man zusätzlich auch Gesundheitsberufe einbeziehen muss, ist nicht einfach zu ziehen, weil jeder Mensch ein eigenständiges Individuum ist und seine Besonderheiten hat. Doch in der praktischen Arbeit von erfahrenen Pädagogen wird zumeist bald klar, warum es im jeweiligen Fall zu Unregelmäßigkeiten in der Schule gekommen ist.

Eine „Störung" im Zusammenhang mit einer physischen oder psychischen Verursachung wird laut Duden auch als „Beeinträchtigung" bezeichnet. In jedem Fall löst ein solcher Begriff bei den Betroffenen keine positive Reaktion aus, was auch verständlich ist, denn niemand lässt sich gerne als „gestört" oder „beeinträchtigt" bezeichnen. Besonders im Umgang mit Kindern sollte man diesbezüglich sehr vorsichtig sein.

Dazu ein Beispiel: Ein Junge in der dritten Schulstufe, der durchaus aufgeweckt ist, fällt in seinem Umfeld besonders durch seine logischen Kommentare zu verschiedenen Themen auf. In der Schule aber erbringt er beim Schreiben und Lesen nicht die gewünschten Erfolge. Beim Rechnen gibt es jedoch keine Probleme. Nachdem sich die Mutter bemüht hat, verschiedene fachliche Ratschläge dazu einzuholen, ist sie sehr verwundert, als der Klassenlehrer den Vorschlag macht, bei einem Psychologen vorstellig zu werden, da er eine Lernstörung vermute. Dieser hat nach einigen Testverfahren lediglich festgestellt, dass der Junge einen niedrigen Intelligenzquotienten habe und deshalb die Leistungen nicht erbringen könne. Zum Einsatz kam ein IQ-Testverfahren, das den IQ-Wert hauptsächlich in Bezug auf Sinneswahrnehmungsleistungen feststellte. Lösungsvorschläge, wie man den Schwierigkeiten beim Lesen und Schreiben begegnen sollte, gab es vom Psychologen nicht. Da die Mutter zum Glück aber davon überzeugt ist, dass ihr Sohn sehr gute Denkvorgänge hat, und sie auch weiß, dass er beim Rechnen keine Schwierigkeiten hat, lässt sie sich nicht beirren und holt noch eine andere Meinung ein. So kommt sie auf einen Spezialisten, der schon vor längerer Zeit außerschulisch dem Kind ihrer Freundin geholfen hat.

Für diesen ist nach einem Gespräch und der Arbeit mit dem Kind bald klar, dass der Junge eine Legasthenie hat, die darauf beruht, dass Teile seiner Sinneswahrnehmungen nicht ausreichend für den Schriftspracherwerb ausgebildet sind, sodass besonders beim Schreiben und Lesen die Aufmerksamkeitsfokussierung nicht gut funktioniert und es deshalb vermehrt zu Fehlern kommt. Dieser Umstand, der zumeist genetisch bedingt ist und nichts mit einer verminderten Intelligenz zu tun hat, führt zu einem verzögerten Erlernen des Schreibens und Lesens. Der Mutter wird auch erklärt, dass ein spezielles Training über einen längeren Zeitraum dazu führen sollte, dass sich grundsätzliche Verbesserungen im Schreiben und Lesen einstellen. Die Frage, ob das Kind nun eine Krankheit habe oder gestört sei, verneint der Spezialist und erklärt der Mutter, dass allerdings eine echte Lernstörung, die einen psychischen Hintergrund hat, entstehen könnte, wenn dem Jungen nicht ein für ihn individueller Weg gezeigt werde, um das Schreiben und Lesen zu erlernen. Ständige Misserfolge führen schließlich zu Versagensängsten oder anderen psychischen Störungen. Nicht das verlangsamte Erlernen des Schreibens und Lesens ist eine Lernstörung, sondern zu dieser kommt es erst, wenn eine rechtzeitige Hilfe durch das Umfeld des Kindes ausbleibt.

Die Verwunderung der Mutter über die doch so unterschiedlichen Auskünfte zweier Spezialisten ist zwar groß, jedoch entscheidet sie sich dafür, ihrem Kind von dem Pädagogen helfen zu lassen. Dies erweist sich später als sehr gute Entscheidung, weil der Junge sich beim Schreiben und Lesen bald wesentlich verbesserte.

Wichtig ist zu wissen, dass es noch viele andere Faktoren geben kann, die zu Lernschwierigkeiten führen, welche aber tatsächlich keine echten Lernstörungen sind. So kann es in der familiären Umgebung zu Ereignissen kommen, die zu Problemen beim Lernen führen, weil die Gedanken nicht in der Schule und beim Lernen, sondern beim Zuhause sind. Es besteht auch die Möglichkeit, dass ein Schüler mit dem Lehrer nicht harmoniert oder dass Mitschüler durch ihr Verhalten Situationen provozieren, die unangenehm sind. Aus diesen und vielen anderen Gründen macht sich mitunter eine Schulunlust breit, die der Schüler aber nicht alleine bewältigen kann, sodass er Hilfe vom Umfeld benötigt. Von einer

Lernstörung kann man in diesem Fall aber nicht sprechen, da sich beim Betroffenen noch keine psychischen Auffälligkeiten, sondern nur eine Schulunlust und damit einhergehend schlechtere Schulleistungen zeigen. Dennoch muss mit den Kindern über diese Probleme gesprochen und versucht werden, die jeweilige Situation für sie zu verbessern, weil andernfalls tatsächlich eine Lernstörung daraus entstehen könnte.

Hellhörig sollte man allerdings werden, wenn Kinder insofern Auffälligkeiten zeigen, als sie den gesamten Schulalltag nicht mehr bewältigen können bzw. die ihnen gestellten Aufgaben vernachlässigen oder vergessen, was sich in andauernder massiver Schulbesuchsverweigerung, Niedergeschlagenheit, depressivem Verhalten, Angstzuständen, körperlichen Symptomen wie Übelkeit oder übertriebenem Drang nach Bewegung oder auch in einer außergewöhnlichen Abwesenheit, aber auch in schlechtem Sehen oder Hören etc. ausdrücken kann. Verschiedene Krankheitsbilder können diesen Verhaltensauffälligkeiten zugrunde liegen.

In solchen Fällen kann eine echte Lernstörung vorliegen, die einen physischen oder psychischen Hintergrund hat. Eine definierte Krankheit zeigt einen Krankheitsverlauf und wird durch eine Diagnose untermauert, die unter symptomatischen oder pathologischen Aspekten ausgewertet wird. Eine umgehende Hilfe muss durch dafür speziell geschulte Spezialisten der Gesundheitsebene erfolgen, denn je länger das Kind in so einem Zustand verharrt, desto schwieriger und langwieriger wird die Hilfestellung. Dabei muss das gesamte Umfeld des Kindes aktiv mit viel Geduld und auch mit dem nötigen Verständnis für die gesamte Problematik mithelfen, damit sich die Situation des Kindes verbessern kann. In solchen Fällen ist auch eine gute Begleitung des Kindes auf pädagogisch-didaktischer Ebene wichtig. Darauf darf auf keinen Fall vergessen werden, weil sonst alle anderen Interventionen nicht den gewünschten Erfolg bringen können.

In jedem Fall spielen die Verbesserung des Selbstbewusstseins und eine umfangreiche Motivation des Betroffenen eine ganz entscheidende Rolle. Erfolgserlebnisse, die man dem Kind ermöglicht, bewirken zumeist große Fortschritte in der Verbesserung des Lernverhaltens des Kindes.

Weiterführende Literatur:

Kopp-Duller, Astrid; Pailer-Duller, Livia R.: Legasthenie – Dyskalkulie !? Die Bedeutsamkeit der pädagogisch-didaktischen Hilfe bei Legasthenie, Dyskalkulie und anderen Schwierigkeiten beim Schreiben, Lesen und Rechnen. 2. Auflage, 2015.

THEORETISCHER HINTERGRUND ZUR RELEVANZ VON SINNESWAHRNEHMUNGEN FÜR LERNPROZESSE

Weiterführende Lernprozesse in der Schullaufbahn beruhen oftmals darauf, zunächst ausreichende Fähigkeiten im Lesen, Schreiben und Rechnen entwickelt zu haben. Gelingen diese basalen Kulturtechniken nicht, können sich allgemeine Probleme beim Lernen ergeben. Deshalb ist es für Lehrende erforderlich, sich über den Hintergrund von Lese-, Schreib- und Rechenprozessen und die damit einhergehende Relevanz von Wahrnehmungsleistungen bzw. entsprechende Defizite im Klaren zu sein. Spezielle multisensorische Wahrnehmungsdefizite wie z.b. bei Legasthenie und Dyskalkulie können zu Lese-, Schreib- und Rechenproblemen führen.

Der erfolgreiche Erwerb grundlegender Fähigkeiten wie Schreiben, Lesen und Rechnen wurde von Poole (2010) als "kulturelles Artefakt" bezeichnet. Ausreichend entwickelte Sinneswahrnehmungen sind für die Entwicklung und Automatisierung akademischer Fähigkeiten von entscheidender Bedeutung (Goswami et al., 2011; Hahn et al., 2014; Poole, 2010). Lese-, Rechtschreib-, Schreib- und Rechenaufgaben erfordern, dass verschiedene Teile des Gehirns als eine Einheit arbeiten, um die Eingabe multisensorischer Informationen zu verarbeiten. Bei Menschen, die nicht ausreichend geschärfte Sinneswahrnehmungen haben, ist das Gehirn nicht in der Lage, multiple sensorische Reize zu verarbeiten, wodurch die

Etablierung von multisensorischen Pfaden verhindert wird, die für die Automatisierung von Lese-, Schreib- und Rechenaufgaben erforderlich sind (Poole, 2010). Die Fähigkeiten des Lesens, Schreibens und Rechnens sind komplexe kognitive Fähigkeiten, die eine Vielzahl von Kodierungsprozessen in den neuralen Systemen von Individuen erfordern, die durch sensorische Wahrnehmungsleistungen unterstützt und bestimmt werden (Goswami et al., 2011; Goswami et al., 2014).

In der Literatur werden Probleme beim Lesen und Schreiben oft ausschließlich mit einer schlechten auditiven Verarbeitung in Zusammenhang gebracht, insbesondere mit phonologischen Defiziten, wobei davon ausgegangen wird, dass Defizite beim Lesen und Schreiben ausschließlich ein sprachliches Problem darstellen (Facoetti, 2009; Fostick & Revah, 2018; Goswami et al., 2011; Heim et al., 2015). Andere Forschungen sehen den phonologischen Ansatz als zu eng an, da weitere sensorische Defizite in den auditiven, visuellen und räumlichen Grundbereichen auch die Ursache von Lese-, Schreib- und Lernproblemen sein können (Clark et al., 2014; Facoetti et al., 2010; Gabay et al., 2017, Hahn et al., 2014; Sigurdardottir et al., 2015). Lese-, Schreib- und Lernprobleme treten in verschiedenen Sprachen auf und daher ist von sprachuniversellen sensorischen Defiziten auszugehen (Goswami et al., 2011).

Der wissenschaftlichen Gemeinschaft fehlt nach wie vor ein allgemein akzeptierter theoretischer oder konzeptueller Rahmen, der Probleme beim Lesen, Schreiben und Lernen auf ein multisensorisches Integrationsdefizit zurückführt. Es bedarf eines allgemein erklärenden Rahmens, um das breite

21

Spektrum der unterschiedlichen sensorischen Probleme zu beschreiben, die Schüler bei der visuellen, auditiven und räumlichen Verarbeitung aufweisen (Fostick & Revah, 2018; Sigurdardottir et al., 2015; Stein, 2014). In den folgenden Abschnitten werden verschiedene theoretische Ansätze vorgestellt, die in ihrer Gesamtheit betrachtet werden können, um multisensorische Probleme im Zusammenhang mit Lesen, Schreiben, Rechnen und Lernen zu erklären.

Auditive Defizite

Der vorherrschende Ansatz zur Erklärung von Schwierigkeiten beim Erlernen des Lesens und Schreibens liegt in der Theorie des phonologischen Defizits (auch als phonologische Beeinträchtigungstheorie bezeichnet), wobei Lesen und Schreiben als rein sprachliche Probleme verstanden werden (Facoetti, 2009). Die Theorie des phonologischen Defizits beschreibt Probleme bei der Identifizierung, Speicherung und Wiedergewinnung der Geräusche der Sprache, die als Phoneme bezeichnet werden. Diese Phoneme sind Bestandteile von Wörtern. Die Fähigkeit, richtig zu lesen und zu buchstabieren, beruht darauf, diese Phoneme zu kennen und sie korrekt mit den entsprechenden Graphemen (Buchstabenformen) zu verknüpfen. Es wird angenommen, dass ein beeinträchtigtes phonologisches Bewusstsein, bei dem die Assoziation von Phonemen und Graphemen unterbrochen ist, nach der phonologischen Beeinträchtigungstheorie die Ursache für fehlerhaftes Lesen und Schreiben ist (Fostick & Revah, 2018; Goswami et al. 2011; Heim et al., 2015).

In der Forschung zu Lese- und Schreibproblemen wird vielfach die Bedeutung der Phonetik und des phonologischen Bewusstseins untersucht (Bonacina et al., 2015; Franceschini et al., 2015; Gori & Facoetti, 2014), obwohl die Theorie der phonologischen Beeinträchtigung im Wesentlichen nur einen Aspekt von Wahrnehmungsdefiziten auf dem auditiven Spektrum darstellt. Da die phonologische Beeinträchtigung sprachspezifisch ist und sich hauptsächlich auf die Lesefähigkeit konzentriert, kann die Theorie der phonologischen Beeinträchtigung die unterschiedlichen Fehler, die Schüler in der Rechtschreibung machen, nicht erklären (Fostick & Revah, 2018; Sigurdardottir et al., 2015; Stein, 2014). Nicht alle Schüler, die Probleme beim Schreiben und Lesen haben, weisen tatsächlich auch phonologische Defizite auf (Fostick & Revah, 2018).

Es gibt auch eine Reihe von nicht-sprachlich bezogenen auditiven Verarbeitungsleistungen, die eine Rolle in Lese- und Schreibprozessen spielen, beispielsweise die grundlegende auditive Verarbeitung, temporäre auditive Verarbeitung und rhythmisches Timing (Bishop-Liebler et al., 2014). Eine auditive Empfindlichkeit gegenüber Frequenz (Tonhöhe), Dauer und Modulation (Hämäläinen et al., 2013) einschließlich der Wahrnehmung von Amplitude und Anstiegszeit (Goswami et al., 2011) kann vorliegen. Das Arbeitsgedächtnis, die auditive temporale Verarbeitung (Fostick & Revah, 2018) und die schnelle auditive Verarbeitung (Goswami, 2015) können ebenfalls beeinträchtigt sein. Unzulänglichkeiten bei der grundlegenden auditiven Verarbeitung können mit phonologischen Beeinträchtigungen zusammenhängen, während Schüler mit Lese- und Schreibschwierigkeiten über

23

die Sprachen hinweg eine verringerte auditive temporale Verarbeitung mit Empfindlichkeit gegenüber rhythmischem Timing und Sprachrhythmus aufweisen können (Bishop-Liebler et al., 2014).

Facoetti et al. (2010) schlussfolgerten, dass fehlende phonologische Entschlüsselungsfähigkeiten auf einer Vielzahl von sensorischen Defiziten und Aufmerksamkeitsdefiziten der unteren Ebene beruhen. Die Forscher untersuchten die visuelle und auditive exogene räumliche Aufmerksamkeit bei Schülern mit Leseproblemen und zwei Kontrollgruppen, die auf Alter und Leseniveau abgestimmt waren. Die Ergebnisse zeigten, dass Schüler, die multisensorische (visuelle, auditive und räumliche) Aufmerksamkeitsdefizite aufwiesen, ebenfalls schlechte phonologische Entschlüsselungsfähigkeiten zeigten. Multisensorische Defizite können für ein schlechtes phonologisches Bewusstsein verantwortlich sein und dieses vorhersagen (Facoetti et al., 2010; Schaadt et al., 2016; Sigurdardottir et al., 2015). Diese Ergebnisse unterstreichen, dass Lese- und Schreibprobleme ein multisensorisches Thema sind und beim Lesen und Schreiben alle sensorischen Systeme, nicht nur die phonologische Verarbeitung, zusammenarbeiten (Fostick & Revah, 2018; Goswami et al., 2011; Hahn et al., 2014; Poole, 2010).

Visuelle Defizite

Neuere Ansätze in der Forschung zu spezifischen Lese- und Schreibproblemen konzentrieren sich auch auf das visuelle Spektrum von Wahrnehmungsproblemen (Schaadt et al., 2016; Sigurdardottir et al., 2015; Stein, 2014; Wang et al.,

24

2014). Die Ausführung von Lese-, Schreib- und Rechenaufgaben erfordert die Analyse von Buchstaben, Wörtern und Zahlen und umfasst neben der Dekodierung von Klängen auch die Verarbeitung visueller Reize (Sigurdardottir et al., 2015; Stein, 2014). Die Annahme, dass alle Probleme beim Lesen und Schreiben phonologischer Natur sind, kann widerlegt werden, da man für die Übersetzung von Buchstaben in Klänge zuerst die Buchstaben sehen und diese sowie deren Reihenfolge dann richtig erkennen muss. Der Prozess der Segmentierung von Wortklängen in Phoneme und deren Übereinstimmung mit den entsprechenden Buchstaben erfolgen erst nach der visuellen Verarbeitungskomponente des Lesens und Schreibens (Sigurdardottir et al., 2015). Die Essenz des Lesens besteht also darin, visuelle Symbole in Klänge zu übersetzen. Die phonologische Komponente beschreibt demnach nur die Manifestation des Lese- und Schreibproblems, sie erklärt jedoch nicht die zugrunde liegenden multisensorischen Ursachen (Facoetti et al., 2010; Schaadt et al., 2016; Sigurdardottir et al., 2015).

Die visuelle Wahrnehmung spielt die komplexeste Rolle in den grundlegenden Kulturtechniken Lesen, Schreiben und Rechnen, da ein Defizit in der visuellen Verarbeitung bedeutet, dass der Schüler gar nicht in der Lage ist, eine Lese-, Schreib- oder Rechenaufgabe zu beginnen. Eine Beeinträchtigung der visuellen Erkennung bzw. Differenzierung ist das häufigste Defizit unter visuellen Wahrnehmungsproblemen (Sigurdardottir et al., 2015). Ein weiteres Hauptdefizit ist die geringe visuelle Aufmerksamkeitsspanne, das bedeutet, dass fehlerhaftes Lesen, Schreiben und Rechnen darauf beruht, dass Schüler ihre visuelle Aufmerksamkeit nicht auf die anstehende Aufgabe richten können (Wang et al., 2014). Schüler können auch eine verzögerte visuelle Phonem- oder Sprachverarbeitung aufweisen, die phonologische Probleme verursacht (Schaadt et al., 2016).

Räumliche Defizite

Das räumliche Spektrum der Sinneswahrnehmungen bleibt im Zusammenhang mit Lese-, Schreib- und Rechenproblemen weitgehend unerforscht (Facoetti et al., 2010). Räumliche Wahrnehmungsdefizite können Schwierigkeiten bei der Orientierung in der Umgebung darstellen, z.b. Verwechslung der Richtung (links/rechts und auf/ab) (Poole, 2010), unzureichende grobmotorische, feinmotorische und taktile Fähigkeiten (Chakravarty, 2009) und in einigen Fällen sogar ein geschwächtes vestibulär-propriozeptives System, welches das körperliche Gleichgewicht beeinflusst (Hoffmann et al., 2015; Poole, 2010). Poole (2010) beschreibt die Orientierungstheorie, um Probleme beim Lesen und Schreiben zu erklären, wo man sich auf die Umwelt bezieht und darauf, was in dieser Umgebung enthalten ist, um angemessen zu reagieren. Grundsätzlich ist die Orientierung das Ergebnis der Eingabe sensorischer Informationen in mehreren Dimensionen, sie beeinflusst mehrere Sinne und erfordert daher sensorische Integration (Pool, 2010).

Fehlender allgemein erläuternder Rahmen

Obwohl in der Forschung zu Schreib- und Leseproblemen die Theorie der phonologischen Beeinträchtigung die am häufigsten angewandte Theorie ist, sieht sie die Prozesse des

Lesens und Schreibens nicht als einen Vorgang an, der mehrere Sinne erfordert, sondern nur das auditive Spektrum (Fostick & Revah, 2018; Goswami et al., 2011; Hahn et al., 2014; Poole, 2010). Lese-, Rechtschreib- und Schreibaufgaben erfordern zunächst die visuelle Erkennung von Buchstaben. Das Zuordnen von Phonemen (Lauten) zu Graphemen (zur Buchstabendarstellung der Laute) erfolgt erst danach. Eine beeinträchtigte phonologische Verarbeitung ist nicht die Ursache von Problemen im Zusammenhang mit Lesen und Schreiben, sondern kann eher als ein Symptom beschrieben werden (Sigurdardottir et al., 2015). Eine erfolgreiche Alphabetisierung erfordert eine mehrfache sensorische Integration in allen Bereichen der visuellen, auditiven und räumlichen sensorischen Wahrnehmung (Facoetti et al., 2010; Schaadt et al., 2016; Sigurdardottir et al., 2015).

Die Forschung zu Lese- und Schreibproblemen kann sich noch immer nicht auf ein allgemeines Erklärungskonzept einigen, das die unterschiedlichen sensorischen Probleme von Schülern berücksichtigt (Fostick & Revah, 2018; Sigurdardottir et al., 2015; Stein, 2014). Forscher gehen nicht immer davon aus, dass fehlerhaftes Lesen und Schreiben auf vielschichtige Probleme der sensorischen Wahrnehmung zurückzuführen sind, sondern sie konzentrieren sich nur auf einzelne Aspekte dieser sensorischen Wahrnehmungen (Fostick & Revah, 2018). Verschiedene Disziplinstrukturen und analytische Rahmenbedingungen, die in der Forschung eingesetzt werden, hindern Forscher daran, sich an Diskussionen zu beteiligen, wodurch die Ergebnisse verschiedener Studien nicht vergleichbar sind, insbesondere im Hinblick auf umfassendere interkulturelle Untersuchungen bei Lese- und Schreibproblemen (Martin, 2013).

Quellennachweis:

Bishop-Liebler, P., Welch, G., Huss, M., Thomson, J. M., & Goswami, U. (2014). Auditory temporal processing skills in musicians with dyslexia. *Dyslexia (10769242)*, *20*(3), 261-279. doi:10.1002/dys.1479

Bonacina, S., Cancer, A., Lanzi, P. L., Lorusso, M. L., & Antonietti, A. (2015). Improving reading skills in students with dyslexia: The efficacy of a sublexical training with rhythmic background. *Frontiers In Psychology*, *6*(1510), 1-8. doi:10.3389/fpsyg.2015.01510

Chakravarty, A. (2009). Artistic talent in dyslexia - A hypothesis. *Medical Hypotheses*, 73, 569-571. doi:10.1016/j.mehy.2009.05.034

Clark, K. A., Helland, T., Specht, K., Narr, K. L., Manis, F. R., Toga, A. W., & Hugdahl, K. (2014). Neuroanatomical precursors of dyslexia identified from pre-reading through to age 11. *Brain: A Journal Of Neurology*, *137*(12), 3136-3141. doi:10.1093/brain/awu229

Facoetti, A., Trussardi, A. N., Ruffino, M., Lorusso, M. L., Cattaneo, C., Galli, R., & Zorzi, M. (2010). Multisensory spatial attention deficits are predictive of phonological decoding skills in developmental dyslexia. *Journal Of Cognitive Neuroscience*, *22*(5), 1011-1025. doi:10.1162/jocn.2009.21232

Fostick, L., & Revah, H. (2018). Dyslexia as a multi-deficit disorder: Working memory and auditory temporal processing. *Acta Psychologica*, *183*, 19-28. doi:10.1016/j.actpsy.2017.12.010

Franceschini, S., Bertoni, S., Ronconi, L., Molteni, M., Gori, S., & Facoetti, A. (2015). "Shall we play a game?": Improving reading through action video games in developmental dyslexia. *Current Developmental Disorders Reports*, *2*(4), 318-329. doi:10.1007/s40474-015-0064-4

Gabay, Y., Dundas, E., Plaut, D., & Behrmann, M. (2017). Atypical perceptual processing of faces in developmental dyslexia. *Brain & Language*, *173*, 41-51. doi:10.1016/j.bandl.2017.06.004

Gori, S., & Facoetti, A. (2014). Perceptual learning as a possible new approach for remediation and prevention of developmental dyslexia. *Vision Research*, *99*(1), 78-87. doi:10.1016/j.visres.2013.11.011

Goswami, U., Wang, H. S., Cruz, A., Fosker, T., Mead, N., & Huss, M. (2011). Language-universal sensory deficits in developmental dyslexia: English, Spanish, and Chinese. *Journal Of Cognitive Neuroscience*, *23*(2), 325-337. doi:10.1162/jocn.2010.21453

Goswami, U., Power, A. J., Lallier, M., & Facoetti, A. (2014). Oscillatory 'temporal sampling' and developmental dyslexia: Toward an over-arching theoretical framework. *Frontiers In Human Neuroscience*, *8*(904), 1-3. doi.org/10.3389/fnhum.2014.00904

Goswami, U. (2015). Sensory theories of developmental dyslexia: three challenges for research. *Nature Reviews Neuroscience*, *16*(1), 43-54. doi:10.1038/nrn3836

Hahn, N., Foxe, J. J., & Molholm, S. (2014). Impairments of multisensory integration and cross-sensory learning as pathways to dyslexia. *Neuroscience And Biobehavioral Reviews*, *47*, 384-392. doi:10.1016/j.neubiorev.2014.09.007

Hämäläinen, J. A., Salminen, H. K., & Leppänen, P. T. (2013). Basic auditory processing deficits in dyslexia: Systematic review of the behavioral and event-related potential/field evidence. *Journal Of Learning Disabilities*, *46*(5), 413-427. doi:10.1177/0022219411436213

Heim, S., Pape-Neumann, J., Van Ermingen-Marbach, M., Brinkhaus, M., & Grande, M. (2015). Shared vs. specific brain activation changes in dyslexia after training of phonology, attention, or reading. *Brain Structure & Function, 220*(4), 2191-2207. doi:10.1007/s00429-014-0784-y

Hoffmann, E., Striegel, U., & Silberzahn, J. (2015): Mit Gleichgewichtstraining zu besseren Schulleistungen. *Forum HNO*, 17, 6-11.

Martin, D. (Ed.) (2013). *Researching dyslexia in multilingual settings: Diverse perspectives*. Bristol, UK: Multilingual Matters.

Poole, J. (2010). The orientation theory of dyslexia: Uniting current schisms through an ecological perspective. *Educational Review*, *62*(2), 215-229. doi:10.1080/00131911.2010.481045

Schaadt, G., Männel, C., van der Meer, E., Pannekamp, A., & Friederici, A. D. (2016). Facial speech gestures: the relation between visual speech processing, phonological awareness, and developmental dyslexia in 10-year-olds. *Developmental Science*, *19*(6), 1020-1034. doi:10.1111/desc.12346

Sigurdardottir, H. M., Ívarsson, E., Kristinsdóttir, K., & Kristjánsson, Á. (2015). Impaired recognition of faces and objects in dyslexia: Evidence for ventral stream dysfunction? *Neuropsychology*, *29*(5), 739-750. doi:10.1037/neu0000188

Stein, J. (2014). Dyslexia: The role of vision and visual attention. *Current Developmental Disorders Reports*, *1*(4), 267-280. doi:10.1007/s40474-014-0030-6

Wang, Z., Cheng-Lai, A., Song, Y., Cutting, L., Jiang, Y., Lin, O., Meng, X., & Zhou, X. (2014). A perceptual learning deficit in Chinese developmental dyslexia as revealed by visual texture discrimination training. *Dyslexia (Chichester, England), 20*(3), 280-296. doi:10.1002/dys.1475

Weiterführende Literatur:

Pailer-Duller, Livia R.: Multicultural Differences in Sensory Perceptions of Dyslexic Students: An Analysis of 33,000 AFS-Test Records in Six Languages. 2019.

PÄDAGOGISCHE FÖRDERDIAGNOSTIK

Einen wichtigen Teil einer gezielten Förderung stellt eine vorangehende Feststellung der Defizite des Lernenden dar. Nur wenn diese bis ins Detail eruiert worden sind, können auch eine individuelle auf die Probleme abgestimmte Förderplanung und eine anschließende Förderung erfolgen. Neben eventuellen Testverfahren ist in jedem Fall eine umfassende Anamnese durchzuführen. Dabei wird ein ausführliches Gespräch mit dem Förderkandidaten bzw. mit seinem Umfeld geführt, um diesen besser kennenzulernen und die Ursache der Lernschwierigkeiten aufzudecken. Der Vorstellungsgrund selbst und die ursächlichen Gegebenheiten liefern dem Spezialisten schon wertvolle Erkenntnisse für die Planung einer spezifischen Lernförderung mit individuellen Maßnahmen.

Nicht in jedem Fall wird dem Spezialisten ein Testverfahren zur Verfügung stehen, um die Probleme des Förderkandidaten abklären zu können, denn zu facettenreich sind diverse Lernprobleme. Im Folgenden werden einige bewährte Testverfahren vorgestellt, die in der spezifischen Lernförderung für die Förderplanung in den verschiedenen Altersstufen hilfreich sind.

PÄDAGOGISCHER SINNESWAHRNEHMUNGSTEST IM VORSCHULALTER (PSV)

Die enorme Relevanz der ersten sechs Lebensjahre für die kognitive Entwicklung der Kinder bleibt vielfach unbeachtet und oftmals vergehen diese Lebensjahre, ohne dass besondere Bereiche entdeckt werden, in denen das Kind eine spezielle Förderung benötigen würde. Die Umstände des Umfeldes der Kinder spielen eine wesentliche Rolle, damit Defizite überhaupt entstehen. Das beste Beispiel ist wohl, dass sich auch schon sehr junge Kinder eher mit technischen Geräten befassen und deshalb jene lehrreichen und für die Entwicklung notwendigen Erfahrungen nicht mehr machen, die man beim Spielen mit Sand, Erde, Wasser und anderen Naturmaterialien erzielen kann. Ohne das Spielen mit Wasser erfahren Kinder z.b. nicht, dass in einem Gefäß nur eine bestimme Menge an Wasser Platz hat. Solche und andere Erfahrungen sind aber für die gesamte Entwicklung der Kinder sehr wertvoll und werden von Menschen, die sich nicht mit diesem Thema befassen, unterschätzt. Auch das Spiel am Spielplatz, das Schaukeln und viele andere Dinge, die früher einfach zum Alltag der Kinder gehörten, passieren heute nicht mehr oder nur selten. Auch handwerkliches Arbeiten kommt viel zu kurz. Lediglich vorgefertigte Aufgabenstellungen zu bearbeiten ist nicht genug. Es müssen Erfahrungen gemacht werden, die auch das Handgeschick der Kinder erfordern und damit fördern.

Die Entwicklung der Sinneswahrnehmungen, aber auch die gesamte Körperkoordination, das harmonische Zusammenspiel von Muskelgruppen, Muskelketten und

Körperteilen, damit eine bestimmte Körperbewegung zustande kommt, finden nicht ausreichend statt. Bewegung ist aber für viele Bereiche notwendig, damit gegenüberliegende Muskelgruppen, die Beuge- und Streckmuskeln, harmonisch und wechselseitig zusammenarbeiten. Die gesamte Entwicklung leidet darunter, weil normale Abläufe im Leben eines Kindes nicht stattfinden beziehungsweise nicht ausreichend auf natürliche Art gefördert werden. Dadurch entstehen Defizite, die später sehr schwer und nur mit viel Arbeitsaufwand vermindert oder beseitigt werden können.

Durch solche Defizite sind auch Misserfolge in den schulischen Anforderungen des Lesens, Schreibens und Rechnens vorprogrammiert. Für diese Tätigkeiten benötigt ein Kind ausreichend entwickelte Fähigkeiten, die es sich in der Vorschulzeit aneignen muss!

Es ist sehr wichtig, dass sowohl Eltern als auch das Umfeld des Kindes die Entwicklung beobachten und auch Interventionen bei schon bestehenden Defiziten veranlassen. Kinder müssen beobachtet werden, denn nur dann können eventuelle Defizite auch entdeckt und rechtzeitig behoben werden. Dass dies rechtzeitig geschieht, ist ein wesentlicher Faktor, denn je später Interventionen getätigt werden, desto langwieriger ist der Weg zum Erfolg. Eltern und das Umfeld des Kindes, und natürlich auch Vorschulpädagogen oder Spezialisten, die in der spezifischen Lernförderung tätig sind, sind gefordert, Defizite zu erkennen und nötigenfalls entsprechende individuelle Hilfe zu leisten.

Es gibt Richtlinien dafür, welche Leistungen Kinder im welchem Alter erbringen sollten. Diese Leistungen werden im pädagogischen Sinneswahrnehmungstest im Vorschulalter (PSV) getestet. Dieses seit vielen Jahren auf pädagogisch-didaktischer Ebene verwendete und sehr bewährte Feststellungsverfahren ermöglicht auf spielerische Weise und ohne großen Aufwand eine genaue Abklärung jener Bereiche, wo die Förderung einsetzen soll. Der PSV dient zur Entwicklungsüberprüfung des sensomotorischen Bereiches und der Teilleistungsgebiete für Kinder von 4 bis 7 Jahren. Die geforderten Leistungen, welche in dem Feststellungsverfahren zu erbringen sind, können als Mindestanforderungen für die entsprechende Altersgruppe bezeichnet werden. Die Übungen wurden nach den wissenschaftlich fundierten Grundlagen der Entwicklungspsychologie zusammengestellt.

Der altersgemäße Entwicklungsstand der Sinneswahrnehmungen von Kindern im Alter von 4 bis 7 Jahren wird überprüft, damit Kindern rechtzeitig eine individuelle Hilfe ermöglicht wird, sodass Schwierigkeiten beim Schreiben, Lesen oder Rechnen entgegengewirkt werden kann. Der PSV kann ohne viel Aufwand durchgeführt werden. Wichtig ist, dass den Anweisungen genau Folge geleistet wird.

Sinneswahrnehmungsbereiche, die überprüft werden:

- optische Differenzierung
- optisches Gedächtnis
- optische Serialität
- akustische Differenzierung
- akustisches Gedächtnis
- akustische Serialität
- Raumorientierung
- Körperschema und Handgeschick.

Es stehen sieben Kontrollblätter zur Verfügung:

- Kontrollblatt 1 – 4 Jahre
- Kontrollblatt 2 – 4½ Jahre
- Kontrollblatt 3 – 5 Jahre
- Kontrollblatt 4 – 5½ Jahre
- Kontrollblatt 5 – 6 Jahre
- Kontrollblatt 6 – 6½ Jahre
- Kontrollblatt 7 – 7 Jahre.

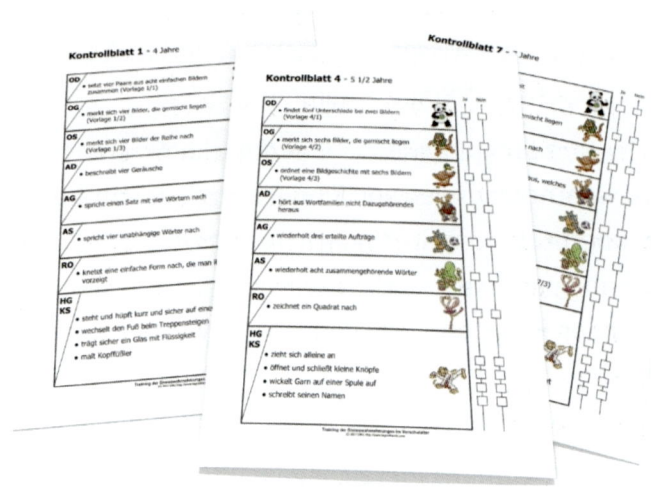

In allen sieben Teiltests werden jeweils acht Sinneswahrnehmungsbereiche abgefragt:

Im Teiltest-**Kontrollblatt 1 für 4-Jährige** müssen aus acht Bildern vier Paare gefunden werden, vier Bilder müssen im Gedächtnis behalten und vier Bilder der Reihe nach gelegt werden, Geräusche müssen beschrieben werden, ein Satz mit vier Wörtern muss nachgesprochen werden, vier unabhängige Wörter müssen in der gleichen Reihenfolge nachgesprochen werden, eine Form muss nachgeknetet werden. Es wird auch festgestellt, ob das Kind auf einem Bein stehen und hüpfen kann, den Fuß beim Treppensteigen wechselt, ein Glas mit Flüssigkeit tragen kann und ob es Kopffüßler malt.

Im Teiltest-**Kontrollblatt 2 für 4½-Jährige** müssen drei übereinander liegende Figuren isoliert erkannt und benannt werden, es müssen vier Farben, die vorher gezeigt worden sind, gemerkt werden, es muss die Reihenfolge der gezeigten Farben benannt werden, es müssen Sätze vervollständigt werden, vier Farben, die genannt werden, müssen wiederholt werden, die Reihenfolge von vier Farben, die vorgesagt worden sind, muss gemerkt werden und erkennbare Formen müssen geknetet werden. Es wird auch festgestellt, ob das Kind mit geschlossenen Beinen mehrmals vorwärts springen kann, über ein kleines Hindernis springen kann, einen Kreis nachziehen kann und selbstständig Linien zeichnen kann.

Im Teiltest-**Kontrollblatt 3 für 5-Jährige** muss in einfachen Abbildungen Gleiches und Ähnliches erkannt werden, fünf Bilder, die gemischt liegen, müssen gemerkt werden, die Reihenfolge von fünf Bildern muss gemerkt werden, vier Wörter müssen dem Oberbegriff zugeordnet werden, eine kurze Geschichte muss nacherzählt werden, sechs unabhängige Wörter müssen der Reihe nach wiederholt werden und eine menschliche Figur muss zusammengesetzt werden. Es wird auch festgestellt, ob das Kind länger als fünf Sekunden auf einem Bein balancieren kann, einer Linie entlang gehen kann, eine Masche binden kann und ein Fingerspiel nachspielen kann.

Im Teiltest-**Kontrollblatt 4 für 5½-Jährige** müssen fünf Unterschiede bei zwei Bilden gefunden werden, sechs Bilder, die gemischt liegen, müssen gemerkt werden, eine Bildgeschichte mit sechs Bildern muss geordnet werden, aus einer Wortfamilie muss ein nicht dazugehörendes Wort herausgehört werden, drei erteilte Aufträge müssen wiederholt werden, acht zusammengehörende Wörter müssen wiederholt und ein Quadrat nachgezeichnet werden. Es wird auch festgestellt, ob das Kind sich alleine anziehen kann, Knöpfe öffnet und schließt, Garn auf eine Spule aufwickeln kann und seinen Namen schreibt.

Im Teiltest-**Kontrollblatt 5 für 6-Jährige** muss in Abbildungen Gleiches und Ungleiches erkannt und beschrieben werden, sieben Bilder, die gemischt liegen, müssen gemerkt werden, sieben Bilder müssen der Reihe nach gemerkt werden, Gemeinsamkeiten bei Wortpaaren müssen erkannt werden, ein Satz aus drei Wörtern muss gebildet werden, die Reihenfolge beim Anziehen muss beschrieben werden und rechts und links muss unterschieden werden. Es wird auch festgestellt, ob das Kind länger als zehn Sekunden auf einem Bein stehen kann, einen größeren zugeworfenen Ball fangen kann, einen Ball mehrmals hintereinander prellen kann und Figuren ausmalt, ohne dabei über den Rand zu malen.

Im Teiltest-**Kontrollblatt 6 für 6½-Jährige** müssen Widersinnigkeiten in einer Abbildung erkannt werden, fünf Buchstaben, die gemischt liegen, müssen gemerkt werden, fünf Buchstaben müssen der Reihe nach gemerkt werden, Reimwörter müssen gefunden werden, ein Satz aus vier Wörtern muss gebildet werden, der Anfangs- und der Endbuchstabe eines Wortes müssen herausgehört werden und mit einem Bleistift muss ein Labyrinth nachgefahren werden. Es wird auch festgestellt, ob das Kind rückwärtsgehen kann, einen Tennisball fangen kann, Formen genau ausschneiden kann und Buchstaben und Zahlen schreibt.

Im Teiltest-**Kontrollblatt 7 für 7-Jährige** müssen Aussagen über die Zeit gemacht werden, sechs Zahlen, die gemischt liegen, müssen gemerkt werden, sechs Zahlen müssen der Reihe nach gemerkt werden, aus zehn Wörtern muss das Wort herausgehört werden, das zweimal vorkommt, ein Vierzeiler muss gemerkt werden, eine fünfteilige Klatschabfolge muss gemerkt werden und ein geometrisches Muster muss nachgezeichnet werden. Es wird auch festgestellt, ob das Kind einbeinig über ein Hindernis hüpfen kann, einen Ball mehr als 80 Zentimeter hochwirft und fängt, einen Baustein am Handrücken tragen kann und beschreibt, wo der Arm anfängt und die Hand anfängt.

Für das Feststellungsverfahren stehen Kontrollblätter zur Verfügung, in denen man die jeweiligen Ergebnisse eintragen kann, ebenso diverse Vorlagen für die Überprüfung der einzelnen Bereiche und eine genaue Anleitung, wie der Test durchzuführen ist. Unmittelbar nach dem Test stehen die Ergebnisse fest, nach denen eine Förderplanung durchgeführt werden kann. Vielfältige Übungsmaterialien werden für eine abwechslungsreiche Förderung benötigt.

Weiterführende Literatur:

Kopp-Duller, Astrid; Pailer-Duller, Livia R.: Training der Sinneswahrnehmungen im Vorschulalter. Erfolgreich einer Legasthenie und Dyskalkulie vorbeugen. 4. Auflage, 2017.

LERN- UND FERNFÖRDERUNG (LFF):
DIAGNOSE – FÖRDERUNG – KONTROLLE

Die Lern- und Fernförderung (LFF) ist ein Programm zur Diagnose, Förderung und Kontrolle, das nicht nur ein sehr umfangreiches Feststellungsverfahren und einen übersichtlichen Auswertungsbogen, sondern auch individuelle Übungsmaterialien in einer sehr großen Anzahl für die Fächer Deutsch und Mathematik in der Grundschule bietet. Die Lern- und Fernförderung (LFF) wird von diplomierten Lerndidaktikern eingesetzt.

Das Feststellungsverfahren wird „Quiz" genannt, um es für die Kinder besser und motivierender zu beschreiben. Die anschließend ausgewählten Übungsmaterialien stehen Spezialisten für eine spezifische Lernförderung zur Verfügung. Im Online-Kundencenter kann das Programm aufgerufen und die Daten des Förderkandidaten angelegt werden. Der Gegenstand „Deutsch" oder „Mathematik" und die jeweilige Leistungsstufe werden ausgewählt. Es kann auch die Fragenanzahl festgelegt werden. Es müssen nicht zwingend die gesamten Testfragen der jeweiligen Stufe auf einmal beantwortet werden. Gewählt wird zwischen 5, 10, 15 oder 20 Fragen. Damit beginnt die Überprüfung der Leistungen. Der Testbegleiter erklärt dem Förderkandidaten die einzelnen Aufgaben. Nachdem alle Fragen beantwortet sind, erfolgt eine Auswertung, auch Förderdiagnose genannt.

LFF

Lern - und Fernförderung

Feststellungsverfahren: "Quizfragen"

⬇

Förderdiagnose (Grafik)

⬇

Förderheft mit individuellen Übungen

Lernförderung **oder** Fernförderung

Im spezifischen Unterricht
gemeinsam mit dem Spezialisten

Zuhause mit Hilfe des
Umfelds

Lernerfolgskontrolle

Lernerfolgskontrolle

Nach den Leistungen des Förderkandidaten wird eine Förderdiagnose erstellt und danach kann ein Förderheft generiert werden. Dieses Förderheft hält Übungsaufgaben exakt in jenen Bereichen bereit, in denen sich Probleme beim Förderkandidaten gezeigt haben. Der Inhalt des Förderheftes ist auf die individuellen Probleme des Förderkandidaten abgestimmt, weshalb auch alle Förderhefte unterschiedliche Inhalte haben. Ein Förderheft kann bis zu 70 Seiten umfassen. Der Testbegleiter kann das Förderheft als PDF-Datei ausdrucken oder auch via E-Mail an den Förderkandidaten zur Verwendung versenden. Wie die Erarbeitung des Übungsmaterials erfolgt, hängt von den jeweiligen Gegebenheiten ab, die mit dem Förderkandidaten bzw. auch mit dessen Umfeld vereinbart worden sind.

Drei Schritte zum dynamischen Lernen:

Feststellungsverfahren – Förderdiagnose – Förderheft

Die Durchführung des Feststellungsverfahrens, die Auswertung zur Erstellung der Förderdiagnose und die nachfolgende spezifische Lernförderung werden von Spezialisten durchgeführt, die auf pädagogisch-didaktischer Ebene tätig sind.

Die Einzigartigkeit des Feststellungsverfahrens liegt darin, dass eine Überprüfung der Lernbereiche des jeweiligen Lernenden gegeben ist und deshalb nach Erstellung der Auswertung dort angesetzt wird, wo die Problembereiche bestehen. Nach der Erstellung des individuellen Förderprogramms in Form eines Förderheftes für den einzelnen Schüler werden in der Lern- oder Fernförderung die einzelnen Bereiche bearbeitet. Eine

Lernförderung findet im gemeinsamen Unterricht statt, wo der Spezialist und der Schüler zusammenarbeiten. Unter einer Fernförderung versteht man, dass der Schüler die Aufgabenstellungen, die er vom Spezialisten bekommen hat, zuhause unter der Kontrolle durch Personen aus dem Umfeld oder selbstständig durcharbeitet.

Der Inhalt der einzelnen Teile des Feststellungsverfahrens wurde nach den Lehrplänen des deutschsprachigen Raums für die Bereiche „Deutsch" und „Mathematik" der Grundschule entwickelt. Es werden somit alle vorrangigen Bereiche schwerpunktmäßig überprüft. Sollte die notwendige Leistung in einzelnen Bereichen vom Förderkandidaten nicht erbracht werden können, werden entsprechende Übungen im Förderheft angeboten. Das Feststellungsverfahren kann jederzeit wiederholt werden und neue Übungen zur Förderung können ausgewählt werden. Durch die Übung und anschließende erneute Überprüfung sollten die Problembereiche nach und nach reduziert werden.

Die einzelnen Testinhalte sind in Stufen eingeteilt. Diese entsprechen nicht hundertprozentig den Inhalten der entsprechenden Schulstufen, wohl aber den vorrangigen Anforderungen in den Schulen des deutschsprachigen Raumes. Die Lehrpläne der Staaten Österreich, Schweiz und Deutschland, wo man Deutsch spricht, sind nicht einheitlich. Da die LFF aber in allen diesen Ländern verwendet wird, wurde auf diesen Umstand Rücksicht genommen.

Im Folgenden sollen die einzelnen Teile des Feststellungsverfahrens beschrieben werden, damit für Spezialisten, welche dieses Verfahren anwenden, eine Übersicht gegeben ist. Dabei werden der Umfang und der Inhalt dargelegt. Die Reihenfolge der gestellten Aufgaben in der Testphase muss nicht mit der hier dargestellten Reihenfolge übereinstimmen, weil diese vom Computerprogramm ausgewählt wird.

STUFE 1

20 Quizfragen:

• Buchstabendifferenzierung, bestimmte Buchstaben herauserkennen

• Anfangsbuchstaben einem Wort zuordnen

• Endbuchstaben, den letzten Buchstaben im Wort, zuordnen

• Buchstabenhaufen, aus diesem ein Wort erstellen

• Bestimmten Artikel, der, die, oder das, einem Wort zuordnen

• Unbestimmten Artikel, ein, eine, oder einen, einem Wort zuordnen

• Teilbegriffe zuordnen, z.B. was man anziehen, tragen, läuten, schreiben, streicheln, verbinden etc. kann

• Oberbegriffe werden Abbildungen zugeordnet

• Verben von der 1. Person Einzahl in die 3. Person Einzahl setzen

• Einzahl – Mehrzahl, aus der Einzahl wird die Mehrzahl gebildet

• Bild – Wortzuordnung, Bilder werden Wörtern zugeordnet

- Reimwörter, Wörter werden jenen Wörtern zugeordnet, die sich reimen
- 3. Person Einzahl wird zur 3. Person Mehrzahl
- Präpositionen zuordnen und richtig anwenden
- Wörterreihenfolge, Wörter werden in die richtige Reihenfolge in einem Satz gebracht
- ABC-Training, Großbuchstaben werden der Reihe nach geordnet
- ABC-Serialitätsübung, eine Reihe von Kleinbuchstaben wird fortgesetzt
- Großbuchstaben werden Kleinbuchstaben zugeordnet
- ABC-Serialitätsübung, eine Reihe von Großbuchstabenreihen wird fortgesetzt
- Geschichte wird vorgelesen und über den Inhalt werden Fragen gestellt

STUFE 2

20 Quizfragen:

- Groß- und Kleinschreibung, den richtigen Buchstaben einsetzen
- Wörter alphabetisch nach Anfangsbuchstaben ordnen
- Silben erkennen, Silbenanzahl erfassen
- Richtiges Einsetzen von Kleinbuchstaben g/k, b/p, d/t, f/v in Wörtern
- Phonologisches Bewusstsein, ähnlich klingende Worte zusammenordnen
- Groß- und Kleinschreibung, bestimmte Groß- und Kleinbuchstaben herauserkennen
- Einzahl und Mehrzahl, aus der Einzahl die Mehrzahl bilden
- 1. Person und 3. Person Einzahl in der Gegenwart
- 1. Person Einzahl und 3. Person Mehrzahl in der Gegenwart
- 1. Person Einzahl von der Gegenwart in die Vergangenheit (Perfekt, 2. Vergangenheit, vollendete Gegenwart) setzen
- Adjektivzuordnung, das Gegenteil zuordnen
- Orientierung im Raum, ein Bild laut Angaben wie „auf dem Tisch, links vom Tisch, rechts im Bild" etc. beschreiben

- Oberbegriffe einer Wortgruppe zuordnen, z.B. Gartengeräte, Möbel, Friseurbedarfsartikel etc.
- Teilbegriff aus einer Wortgruppe erkennen, der nicht zum Oberbegriff passt
- Zusammengesetzte Wörter, aus zwei Wörtern wird eines
- Satzzeichen, das richtige Satzzeichen setzen
- Satzteileverbindung, zwei Satzteile werden verbunden, die das Gegenteil beinhalten
- Optische Differenzierung, Wortabstände erkennen, Groß- und Kleinschreibung beachten, den Satz korrekt aufschreiben, z.b. HANSIFÄHRTMITDEMRAD
- Wortstammübung, erkennen, welches Wort aus der Wortgruppe nicht dazugehört
- Geschichte wird vorgelesen und über den Inhalt werden Fragen gestellt

20 Quizfragen:

- Präsens und Präteritum (1. Vergangenheit, Mitvergangenheit), das Präteritum wird bei den Verben (Zeitwörtern) im Präsens eingesetzt
- Wortarten erkennen, Substantiv, Verb, Adjektiv und Artikel richtig zuordnen
- Satzteilverbindungen, zwei Satzteile werden verbunden
- Verben erkennen, aus einem Worthaufen alle Zeitwörter bzw. Verben herauserkennen
- Substantive erkennen, aus einem Worthaufen alle Hauptwörter herauserkennen
- Adjektive erkennen, aus einem Worthaufen alle Eigenschaftswörter herauserkennen
- Wörter nach dem ABC ordnen
- Konjugation, die fehlende Zeitform wird eingesetzt
- Präsens und Perfekt, zum vorhandenen Wort im Präsens wird das Wort im Perfekt gesetzt
- Wortarten benennen, die Bezeichnung Substantiv, Verb oder Adjektiv wird Wörtern zugeordnet
- Buchstaben erkennen, die Anzahl von bestimmten Buchstaben wird in einer Wortansammlung erkannt
- Fehlende e oder ä in Wörtern einsetzen

- Fehlende eu oder äu in Wörtern einsetzen
- Fehlende tz oder ck in Wörtern einsetzen
- Fehlende s oder ss in Wörtern einsetzen
- Teilbegriff aus einer Wortgruppe erkennen, der nicht zum Oberbegriff passt
- Fremdwörter, deutsche Bezeichnung dem Fremdwort zuordnen
- Fallbestimmung, den Fall des unterstrichenen Satzteiles bestimmen
- Namenwort, zu verschiedenen vorgegebenen Wortarten das Namenwort zuordnen
- Lesegeschichte, Fragen zum Inhalt werden beantwortet

20 Quizfragen:

- Fallbestimmung, den Fall des unterstrichenen Satzteiles bestimmen
- Zeitbestimmungen, die Zeit eines Satzes bestimmen (Präsens = Gegenwart, Präteritum = Mitvergangenheit, Perfekt = Vergangenheit, Futur I = Zukunft)
- Satz in verschiedene Zeiten setzen: Präsens, Präteritum, Perfekt, Futur I
- Vorgegebene Groß- und Kleinbuchstaben in einem Lückentext einsetzen
- Wortarten benennen, die Bezeichnung Substantiv, Verb oder Adjektiv wird Wörtern zugeordnet
- Substantiv, Verb oder Adjektiv, fehlendes Wort in einem Satz einsetzen
- Zahlwort und Fall in Sätzen richtig einsetzen, ein, eine, einem, einen, eines
- Zusammengesetzte Wörter, aus zwei Wörtern wird eines
- Vorsilbe finden, die nicht zum vorgegebenen Wort passt
- Passendes Namenwort mit -heit und -keit finden
- Passendes Namenwort mit -ung, -nis und -schaft finden
- Namenwörter werden Eigenschaftswörter mit -ig, -lich, -isch, -bar

- Oberbegriff für eine Wortgruppe finden
- Wörter erkennen, die nicht zu dem vorgegebenen Wortfeld passen
- Wörter „und" sowie „oder" in einem Satz richtig einsetzen
- Wörter „und" sowie „aber" in einem Satz richtig einsetzen
- Wörter mit kurzem a-Laut erkennen
- Wörter mit kurzem e-, i-, o-, u-Laut erkennen
- Richtig „das" oder „dass" einsetzen
- Lesegeschichte, Fragen zum Inhalt werden beantwortet

STUFE 1: Zahlenraum bis 20

15 Quizfragen:

- Zählen, Ziffern in die richtige Reihenfolge bringen
- Rückwärtszählen, z.B. 7, 6, 5, 4
- Zahlen zerlegen, z.B. 5 = 1 +_ oder 9 = 7 + _
- Zahlen zerlegen, z.B. 10 = 8 +_
- Rechnen mit Geld, Geldwerte zusammenzählen, Geld zählen
- Rechnen mit Geld, Einkaufen und Preis, gegebener Geldbetrag und Retourgeld berechnen
- Zahlen verdoppeln bis 20
- Addieren, Zusammenzählen bis 20, z.B. 14 + 4 = _
- Subtrahieren, Minusrechnen bis 20, z.B. 11 – 3 =
- Minus-Ergänzungsaufgaben, z.B. 16 - _ = 5
- Plus - Ergänzungsaufgaben
- Subtraktion mit Bildrechnung, Rechnung nach einem Bild
- Addition mit Bildrechnung, zwei Mengen erkennen und in einer Rechnung ausdrücken
- Zahlen halbieren bis 20
- Zahlen Mengen zuordnen

STUFE 2: Zahlenraum bis 100

15 Quizfragen:

- Teilen von Mengen
- Multiplizieren
- Menge und Malrechnung kombiniert
- Zahlenstrahl, einen Punkt am Zahlenstrahl erkennen
- Addieren mit Zehnerübergang
- Hundertertafel, Wert der markierten Kästchen wird abgefragt
- Minus- und Ergänzungsaufgaben, z.B. 18 - 5 = _ oder 20 - _ = 7
- Plus- und Ergänzungsaufgaben, z.B. 11 + _ = 20 oder 1 + _ = 7
- Sachaufgabe, Malrechnung mit Anschauungsmaterial
- Zahlen zerlegen, z.B. 100 = 80 + _
- Zahlen halbieren
- Zahlen verdoppeln
- Zehnerschritte, in Zehnerschritten wird nach rückwärts gezählt
- Wochentage benennen, z.B.: Wenn morgen Donnerstag ist, welcher Tag war gestern?
- Uhrzeit errechnen, z.B.: Um 8 Uhr verlässt jemand das Haus und kommt 9 Stunden später, wie spät ist es dann?

STUFE 3: Zahlenraum bis 1.000

20 Quizfragen:

- Malsatz nach einer Grafik aufschreiben
- Zahlenstrahl in Hunderterschritten
- Plus-Ergänzungsaufgaben, z.B. 28 + _ = 100
- Ergänzen in vorbeschriebenen Schritten, z.B. 7 _ 21 28
- Einmaleins bis 100
- Malaufgaben bis 1.000
- Komplexes Zählen
- Halbieren bis 1.000
- Minusaufgaben, Kopfrechnen
- Zahlen verdoppeln bis 1.000
- Dividieren, Geteilt-Aufgaben, z.B. 42 : 7 = _
- Stellenwertaufgaben, Zahlen die Einer-, Zehner- und Hunderterstelle zuordnen
- Rechnen mit Geld, Wert der abgebildeten Münzen zusammenzählen
- Gerade und ungerade Zahlen bestimmen
- Umwandlungen von Maßen und Gewichten
- Sachaufgabe, die höchste Zahl aus 5 verschiedenen dreistelligen Zahlen herauserkennen
- Schriftliche Additionen bis 1.000
- Schriftliche Subtraktionen bis 1.000
- Uhrzeit benennen

- Rechnungen mit der Uhrzeit, anhand von zwei Uhren bestimmen, wie viel Zeit vergangen ist

STUFE 4: Zahlenraum bis 10.000

20 Quizfragen:

- Stellenwertaufgaben, Zahlen die Einer-, Zehner-, Hunderter- und Tausenderstelle zuordnen
- Nachbarzahlen bis 10.000, Vorgänger und Nachfolger einer Zahl finden
- Schriftliches Addieren und der richtigen Zahl zuordnen
- Schriftliches Subtrahieren und der richtigen Zahl zuordnen
- Runden von Zahlen, Zehneraufrundung, z.B. 826 ist gerundet 830
- Kommastelle, Plus-, Minusrechnungen und Divisionen berechnen und Komma richtig setzen
- Turmrechnungen mit Grundrechnungsarten
- Halbieren und Verdoppeln mit Zahlen bis 10.000
- Sachrechnung oder Sachaufgabe
- Kettenaufgaben, mit Punkt-vor-Strich-Regel und mit Klammer-Regel
- Halbschriftliches Multiplizieren

- Schriftliche Multiplikation, Produkt aus z.b. 55 und 69 = 3795 berechnen
- Rechnen mit Geld, Geldbetrag aus den Banknoten und Münzen berechnen
- Bruchrechnungen, Bruch anhand einer Abbildung bestimmen
- Kopfrechnen mit Multiplikationen und Divisionen
- Raumwahrnehmung, räumliche Vorstellung anhand eines Würfels
- Geometrie, Winkel bestimmen
- Gewichte umwandeln, t-kg, kg-t, dag-g, g-kg, g-dag
- Zeitrechnungen
- Umwandlungsaufgaben, umrechnen von m^2-cm^2, m^2-dm^2, dm-cm, m-cm etc.

Das Feststellungs- und Förderverfahren „Learnedy" ist in der spezifischen Lernförderung sowohl für den Englischunterricht von englischsprachigen Kindern als auch für Kinder, die Englisch als Fremdsprache erlernen, geeignet. Nach dem gleichen Prinzip wie die Lern- und Fernförderung (LFF) wird Learnedy von diplomierten Lerndidaktikern für die Diagnose, Förderung und Kontrolle im Fach Englisch eingesetzt. Auch der Gegenstand Englisch stellt einen wichtigen Teil einer gezielten Förderung des Lernenden dar. Defizite müssen vor Beginn der Förderung festgestellt werden, damit eine individuelle auf die Probleme abgestimmte Förderplanung und anschließende Förderung erfolgen können.

Three Steps for Dynamic Learning:

Diagnose – Practice – Re-test

Learnedy ist ein Programm zur Diagnose, Förderung und Kontrolle, das für das Fach Englisch nicht nur ein sehr umfangreiches Feststellungsverfahren und einen übersichtlichen Auswertungsbogen, sondern auch individuelle Übungsmaterialien in einer sehr großen Anzahl bietet. Das gesamte Programm Learnedy ist gleich wie die Fern- und Lernförderung (LFF) aufgebaut, die bereits besprochen wurde.

Die einzelnen Testinhalte sind in Stufen eingeteilt. Das Programm beginnt mit den Grundlagen der englischen Sprache, in den Lehrplänen der englischsprachigen Länder für den Kindergarten vorgesehen und dann weiterführend für die

Schulstufen 1 bis 4. Die Inhalte entsprechen den vorrangigen Anforderungen in den Schulen des englischsprachigen Raumes und bilden auch die Grundlage für einen Fremdspracherwerb in Englisch.

FÖRDERDIAGNOSE ENGLISCH

KINDERGARTEN

15 Quizfragen:

- Alphabetical Order
- Complete the Sentence
- Missing Vowels
- Make a Sentence
- Beginning Vowel Sounds
- Beginning Consonant Sounds
- Find the Same Word
- Match Picture with Correct Word
- Rhyming Word Match
- Using Correct Ending Punctuation
- Choose the Best Title
- Matching Upper and Lower Cases
- Listening
- Comprehension

LEVEL 1

20 Quizfragen:

- Make a New Word
- Plural Words
- Alphabetical Order
- Was or Were
- Missing Letter
- Match Word to Picture
- Articles: A, An, The
- Long Vowels
- Verb or Not a Verb
- Adding a Final E
- Noun or Not a Noun
- Pick the Pronoun
- Beginning Blend Consonants
- Rhyming Words
- Using SH an CH in Words
- Using Capitals for Proper Nouns
- Unscramble the Sight Words
- Choose the Best Adjective
- Listening
- Comprehension

LEVEL 2

20 Quizfragen:

- Compound Words
- Words with OU and OW
- Alphabetical Order
- There is, or Are
- Missing Letters: Vowel Digraphs
- Match Word to Picture
- Complete the Sentence: Missing Subjects
- Find the Common Prepositions
- Action Verb vs. Linking Verb
- Homophones
- Plural: Words ending in Y
- Personal Pronouns: Complete Sentences
- Basic Contractions
- Count the Syllables
- Consonant Blends and Digraphs
- Sorting the Part of a Sentence
- Words Ending in -ING or -ED
- Find the Adjective
- Listening
- Comprehension

LEVEL 3

20 Quizfragen:

- Alphabetical Order
- You're or Your Punctuation
- Antonyms
- There, Their, or There're: Simple Sentences
- Missing Letters: Vowel Teams EE and EA
- Conjunctions
- Complete the Sentence: Missing Verbs
- Apostrophe Practice
- Nouns as Direct Objects
- Homophones
- Dropping the Final E Before a Suffix
- Rhyming Words That are Spelled Differently
- I Before E Except …
- Adjective or Adverb?
- Shades of Meaning: Which is Stronger?
- Doubling the Last Consonant Before a Suffix
- Abbreviating Day and Month Names
- Prefixes that Change the Meaning of a Word
- Listening
- Comprehension

LEVEL 4

20 Quizfragen:

- Commonly Confused Words
- Spelling Contractions
- Cause and Effect
- Which Part of Speech?
- Comparative Suffixes
- Word Links
- Similes
- Double Negatives
- Vocabulary Fill-in
- Accept or Except?
- Using A or An in Sentences
- Unique Plural Words
- Sentence Fragments: What's Missing?
- Synonyms
- Adding -sion or -tion
- Prepositions
- Select the Word that Doesn't Belong
- Context Clues
- Listening
- Comprehension

Ein weiteres von der pädagogischen Forschung entwickeltes, weltweit bewährtes pädagogisches Feststellungsverfahren, das schon seit Jahrzehnten in der gezielten Förderdiagnose verwendet wird und damit für die Erstellung einer individuellen Förderplanung relevant ist, die eine punktgenaue Lernförderung von legasthenen/lese-rechtschreibschwachen und dyskalkulen/rechenschwachen Menschen ermöglicht, ist das Aufmerksamkeit-Funktion-Symptom-Testverfahren, das durch diplomierte Legasthenie- und Dyskalkulietrainer zum Einsatz kommt.

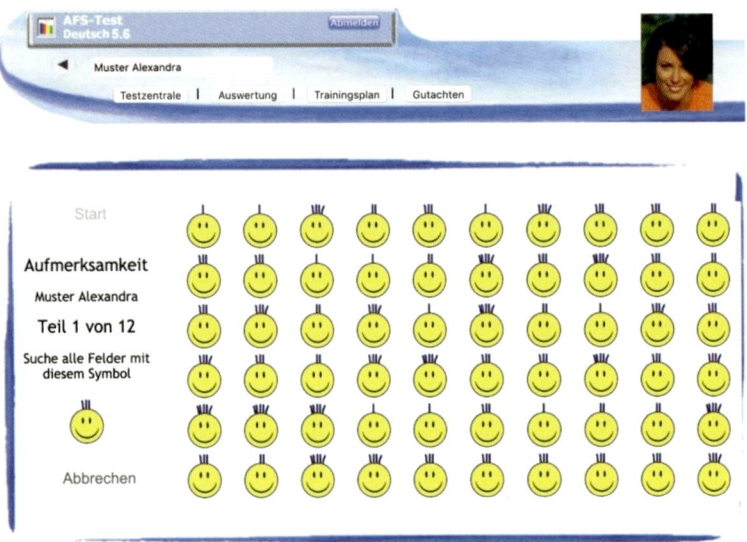

„Der Test besteht aus elf Untertests, welche die für den Schriftspracherwerb und den Erwerb von Rechenfertigkeiten relevanten Bereiche überprüfen. Gemessen werden der Aufmerksamkeitsdurchschnitt mit Bildern, Halbsymbolen und Buchstabensymbolen, weiters die Verarbeitung von optischen und akustischen Eindrücken sowie die Raumwahrnehmung, dem Alter entsprechend. Eine Fehleranalyse, erstellt anhand eines Fragenkatalogs, ergänzt das Testverfahren. Eine genaue Beschreibung jedes Testteils finden Sie auf den folgenden Seiten, welche vor Testbeginn vom Testleiter genau studiert werden sollten.

Ausgangspunkt für die Entwicklung des AFS-Tests war die Annahme, dass legasthene/dyskalkule Kinder beim Schriftspracherwerb und beim Erwerb der Rechenfähigkeiten Schwierigkeiten mit der Sinnesverarbeitung und den dadurch ausgelösten Unaufmerksamkeitsphasen beim Zusammentreffen mit Buchstaben oder Zahlensymbolen haben. Die Folge davon sind Wahrnehmungsfehler. Nach Auswertung von relevanten Forschungsergebnissen wurden schließlich die oben genannten Bereiche als kritisch angesehen. Die Testkonstruktion beruht im Wesentlichen auf theoriegeleiteten Überlegungen und empirischen Befunden zu den einzelnen Aufgabentypen.

Die empirischen Prüfungen und die Gütekriterien zeigen, dass das Testverfahren eine hohe prognostische Validität ($\geq 0,59$ Gültigkeit) besitzt. Die Validität (validity) ist die Bezeichnung für das wichtigste Testgütekriterium. Sie gibt den Grad der Genauigkeit an, mit dem ein Testverfahren das misst, was es messen soll: den Grad der Aufmerksamkeit des Testkandidaten, wenn er mit dreierlei Symbolen konfrontiert wird, und den Grad der Funktionen, welche man für das Schreiben, Lesen und Rechnen benötigt. Die prognostische

Validität wurde anhand einer Längsschnittstudie belegt. Die hohe Korrelation erwies sich nach halbjährlicher Testwiederholung ohne zwischenzeitliche Interventionen als stabil. Unterschiedliche Testaufgaben weisen unterschiedlich hohe positive Korrelationen auf. Es wurde daher angenommen, dass das Testverfahren nicht nur eine Fähigkeit prüft, sondern dass an der Testleistung mehrere Faktoren beteiligt sind. Aus den Korrelationen der Leistungen untereinander lässt sich errechnen, wie viele Faktoren an der Gesamtheit der Leistungen beteiligt sind und welche Faktoren auf die einzelnen Aufgaben einwirken und in welchem Ausmaß jede Aufgabe mit ihren Faktoren geladen ist. Analysen zeigten, dass der AFS-Test eine gute bis sehr gute Aussage über die individuellen Problembereiche, welche einen reibungslosen Umgang mit dem Schreiben, Lesen und/oder Rechnen verhindern, trifft. Die Zahl der Fehlklassifikationen war sehr gering.

Die Objektivität (objectivity) ist die allgemeine Bezeichnung für die Tendenz, die Wirklichkeit sachlich zu beurteilen und sich an vorhandenen Daten oder Fakten zu orientieren. Man versteht unter Objektivität das Ausmaß, in dem ein Testergebnis in Durchführung, Auswertung und Interpretation vom Testleiter nicht beeinflusst werden kann, bzw. die Tatsache, dass mehrere Testauswerter zu übereinstimmenden Ergebnissen kommen. Der AFS-Test ist standardisiert, d.h. er enthält eine Testanweisung bzw. eine Testanleitung, die vorschreibt, wie der Test vorgenommen und durchgeführt werden muss. Das Gleiche gilt für die Auswertung eines Tests, denn auch diese muss feste Regeln enthalten. Die Unbeeinflussbarkeit der Auswertung ist durch den Computer gesichert.

Die Reliabilität (reliability) ist neben der Objektivität und der Validität eines der Hauptgütekriterien diagnostischer Instrumente. Sie gibt die Zuverlässigkeit einer Messmethode an. Ein Test wird dann als reliabel bezeichnet, wenn er bei einer Wiederholung der Messung unter denselben Bedingungen und an denselben Gegenständen zu demselben Ergebnis kommt. Die Reliabilität dieses Tests wird mit $r_{tt}=0.91$ angegeben. Die internen Konsistenzen der Subtests ließen eine eigenständige Auswertung zu. Retestreliabilitäten der Subtests nach sechs Monaten wiesen recht geringe Koeffizienten auf.

Für den deutschen Sprachraum fand in Einzeltestungen die Evaluierung unter Mitwirkung von mehr als dreitausend Mädchen und Buben im Alter von sieben bis vierzehn Jahren statt. Mitarbeiter des Ersten Österreichischen Dachverbandes Legasthenie, des Kärntner Landesverbandes Legasthenie und diplomierte Legasthenie- & Dyskalkulietrainer aus aller Welt haben hierfür maßgebliche Arbeit geleistet. An dieser Stelle wird allen Mitwirkenden ein Dank ausgesprochen.

Dieses für den deutschen Sprachraum einzigartige, standardisierte Computertestverfahren ermöglicht, mit einem minimalen Zeitaufwand von ca. sechzig Minuten eine eventuell vorliegende Legasthenie, LRS und/oder Dyskalkulie, Rechenschwäche festzustellen und zu kategorisieren. Die Kategorisierung ist deshalb so wichtig, weil jedes legasthene/dyskalkule Kind seine individuelle Legasthenie/Dyskalkulie hat. Nach der Erstellung einer positiven Diagnose wird ein speziell auf das Testergebnis abgestimmtes pädagogisches Trainingsprogramm nach der

**Erster Österreichischer
Dachverband Legasthenie**

Muster Alexandra	Testperson
Testdatum
Straße
Postleitzahl
Ort
Telefon
Geb.dat
Schulstufe
Kontakt

Martina Mustermann
Reg. Nr. 3968
Diplomierte Dyskalkulietrainerin (in Ausbildung)

Dyslexia Research Center

AFS-Test Auswertung

Pädagogisches Testverfahren zur Feststellung einer eventuell vorliegenden Legasthenie/LRS und/oder Dyskalkulie/Rechenschwäche

Aufmerksamkeitstest

Bilder

Halbsymbole

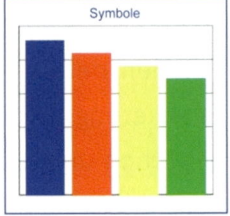
Symbole

Funktionstest

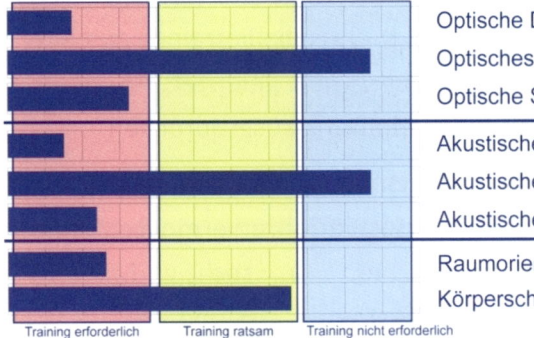

Optische Differenzierung

Optisches Gedächtnis

Optische Serialität

Akustische Differenzierung

Akustisches Gedächtnis

Akustische Serialität

Raumorientierung

Körperschema

Training erforderlich   Training ratsam   Training nicht erforderlich

Training ratsam   Training erforderlich

**Symptomtest
Lesen/Schreiben**

**Symptomtest
Rechnen**

Datum: Unterschrift, Stempel

AFS-Methode erstellt und vorgeschlagen." (AFS-Test Handbuch, 2018)

Das AFS-Testverfahren ist ein Einstiegstest, der im Bereich der pädagogischen Förderdiagnostik sehr hilfreich ist, weil er vorhandene Problembereiche aufzeigt und damit einen Ausgangspunkt für die Förderung bildet. Die Förderung sollte bei legasthenen und dyskalkulen Menschen individuell sein, d.h. auf die Problembereiche ausgerichtet. Die AFS-Methode bildet dafür eine solide Unterstützung für die Planung und die Durchführung der Förderung. Sie ist eine multisensorische Methode, die drei wichtige Segmente enthält: das Aufmerksamkeitstraining, ein fein differenziertes Sinneswahrnehmungs- bzw. Funktionstraining sowie ein individuelles Symptomtraining, das auf die Bedürfnisse des jeweiligen Lernenden abgestimmt ist. Die Methode wird deshalb auch als umfassende Methode bezeichnet. Sie kommt weltweit seit mehreren Jahrzehnten mit großem Erfolg zur Anwendung und wird auch als offene Methode bezeichnet, weil jeder Förderansatz, der erfolgversprechend ist, integriert werden kann. Die AFS-Methode unterscheidet sich darin wesentlich von anderen Methoden, die nur im Symptombereich eine Hilfestellung anbieten.

GRUNDSÄTZE DER SPEZIFISCHEN LERNFÖRDERUNG

Nach der Testphase beginnt die praktische Arbeit in Form einer Förderplanung und in weiterer Folge die spezifische Lernförderung. Eine pädagogische Förderdiagnostik ist die beste Voraussetzung für eine weitere erfolgreiche Arbeit und sollte nach Möglichkeit immer vor Beginn einer Förderung durchgeführt werden. Die Förderplanung, die sich nach den Feststellungsergebnissen richten wird, ist ein wichtiger Teil und dient zur Vorbereitung der eigentlichen Förderarbeit. Ist also die Feststellungs- und Förderplanungsphase abgeschlossen, wird mit der spezifischen Lernförderung begonnen. Im Folgenden werden einige Ansätze und Materialien besprochen, die in der spezifischen Lernförderung zum Einsatz kommen können.

Der spätere Erfolg in der Schule hat seinen Ursprung in der Vorschulzeit, dies sollte eigentlich bekannt sein. Eine ausreichende Förderung der Kinder im Vorschulalter ist deshalb bis zum sechsten Lebensjahr, bevor die Schulzeit beginnt, sehr empfehlenswert. Tatsächlich wird aber die Relevanz dieser Förderung für die folgende Schulzeit vielfach unterschätzt.

Besonders trainiert werden sollten die Sinnesbereiche, vor allem die Bereiche der optisch-visuellen und der akustisch-auditiven Wahrnehmung, die Raumorientierung und das Körperschema, die für das Erlernen des Schreibens, Lesens und Rechnens gut ausgebildet sein müssen.

Ein wichtiger Schritt in der vorschulischen Förderung ist, den Eltern bzw. dem Umfeld des Kindes genau zu erklären, warum eine Förderung so wichtig ist und wie diese erfolgen kann. Nach Auskünften von Vorschulpädagogen und auch Spezialisten zu urteilen, die auf pädagogisch-didaktischer Ebene auch im Vorschulalter Kinder fördern, gewinnt die spezifische Lernförderung im Vorschulbereich erfreulicherweise immer mehr an Bedeutung und Beliebtheit.

Auch im Vorschulalter sollte nichts dem Zufall überlassen werden und nach der Überprüfungsphase ein Förderplan erstellt werden, damit in der Förderung jene Bereiche besonders berücksichtigt werden können, in denen es Verbesserungsbedarf gibt. Grundsätzlich sollte man Kinder spielerisch in allen Sinneswahrnehmungsbereichen fördern, jedoch in den Problembereichen in verstärktem Ausmaß.

Für eine präzise Feststellung von eventuell vorhandenen Defiziten leistet der „Pädagogische Sinneswahrnehmungstest im Vorschulalter (PSV)" seit Jahrzehnten sehr gute Dienste. Dem Testhandbuch ist auch eine sehr umfangreiche Materialsammlung angeschlossen, die in der spezifischen Lernförderung im Vorschulalter für die Schulung aller Sinneswahrnehmungsbereiche, die ein problemloses Erlernen des Schreibens, Lesens und Rechnens ermöglichen, zum Einsatz kommt.

Weiterführende Literatur:

Kopp-Duller, Astrid; Pailer-Duller, Livia R.: Training der Sinnes-wahrnehmungen im Vorschulalter. Erfolgreich einer Legasthenie und Dyskalkulie vorbeugen. 4. Auflage, 2017.

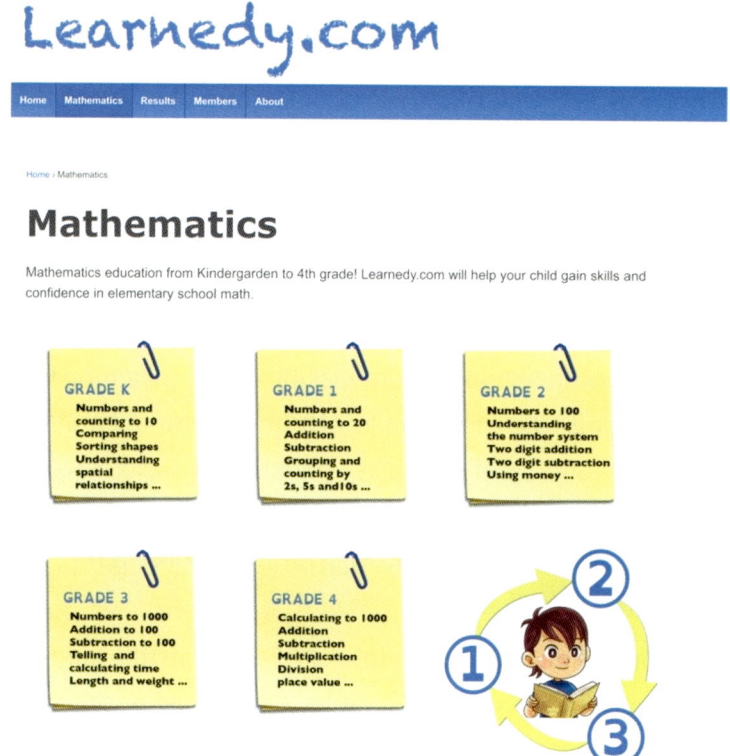

Nach der pädagogischen Förderdiagnostik und den umfangreichen Feststellungsverfahren im Rahmen der Lern- und Fernförderung (LFF) für Deutsch und Mathematik bzw. im Rahmen des Programms Learnedy für Englisch, die schon ausführlich im Rahmen der Förderdiagnostik beschrieben worden sind, wird vom Computerprogramm ein übersichtlicher Auswertungsbogen generiert, der die Problembereiche in einer Grafik darstellt. Nach diesen

Ergebnissen wird vom Computerprogramm ein individuelles Förderheft mit Aufgabenstellungen zusammengestellt, die den in der Grafik ausgewiesenen Problembereichen entsprechen.

Dieses Förderheft ist individuell abgestimmt, mit dem Namen des jeweiligen Förderkandidaten versehen, der das „Quiz" absolviert hat, und auch mit dem Namen des Testbegleiters, der den Test mit dem Förderkandidaten durchgeführt hat.

Das Förderheft wird aus einer äußerst umfangreichen Sammlung von Tausenden bereitstehenden Aufgaben und den dazugehörigen Lösungen erstellt, die von erfahrenen Pädagogen auf einer pädagogisch-didaktischen Basis zu den verschiedenen Themen entwickelt und zusammengestellt worden sind. Die individuellen Übungsmaterialien sind auch inhaltlich und grafisch klar strukturiert und stellen die Aufgaben in den Mittelpunkt. Sie sind verständlich und kindergerecht aufbereitet und sprechen Kinder erfahrungsgemäß sehr an.

Das Förderheft wird im Adobe PDF-Format übermittelt und kann auf einem Computer, Tablet oder Smartphone geöffnet werden. Anschließend wird das Förderheft, im Idealfall in Farbe, ausgedruckt. Dies kann mit und ohne Lösungen geschehen. Das Kind bearbeitet die Aufgaben am Papier.

Die vom Computerprogramm nach den Testergebnissen zusammengestellten Übungsmaterialien werden entweder vom Kind in der spezifischen Lernförderung gemeinsam mit dem Spezialisten erarbeitet oder in der sogenannten Fernförderung wird das für die individuelle Förderung vorgeschlagene Übungsmaterial verwendet, indem das Kind dieses zuhause mit Personen aus seinem Umfeld nach Anleitung durch den Spezialisten durcharbeitet.

Der dafür notwendige Zeitaufwand ist vom Umfang des zu erarbeitenden Lernmaterials abhängig, exakte Zeitangaben für die gesamten Förderungen können deshalb nicht gemacht werden. Dieser Zeitaufwand ist letztendlich auch von der individuellen Geschwindigkeit des Kindes abhängig und auch von der Anzahl der Fragen, die beim Test oder „Quiz" gestellt bzw. falsch beantwortet wurden.

Nachdem die Aufgaben des Übungsheftes vollständig ausgeführt worden sind, kann eine weitere Überprüfung des Leistungsstandes des Kindes jederzeit erfolgen und so ein neues Förderheft erstellt werden. Idealerweise wiederholt man die Überprüfung der geübten Bereiche, bis keine Probleme mehr auftreten und der Lernstoff verinnerlicht wurde. Die Einzigartigkeit dieser Förderung besteht darin, dass dieser Vorgang beliebig oft wiederholt werden kann, bis die Verbesserungen ausreichend sind und der gewünschte Lernerfolg erreicht ist.

Die AFS-Methode ist das Ergebnis qualitativer und quantitativer empirisch-pädagogischer Forschung und ist als deren Meilenstein zu sehen. Die multisensorische Methode, deren Entwicklung durch interdisziplinäre Zusammenarbeit ermöglicht worden ist, beruht auf den wissenschaftlichen Erkenntnissen, dass eine Verbesserung der Schreib-, Lese- und/oder Rechenfertigkeit eines legasthenen/dyskalkulen Menschen alleine durch das Üben am Symptom nicht zu erreichen ist.

Deshalb muss in den Bereichen der Aufmerksamkeit (um der zeitweisen Unaufmerksamkeit beim Schreiben, Lesen und/oder Rechnen entgegenzuwirken), weiters in den Funktionen oder Sinneswahrnehmungen (die geschärft werden müssen) und im Symptombereich (um den

Wahrnehmungs- und Rechtschreib-/Rechenfehlern entgegenzuwirken) eine gezielte Förderung stattfinden.

Die Methode ist als eine umfassende zu sehen, weil die Kombination von vorgeschriebenen Strukturen und die frei wählbaren Teile der Förderung es erlauben, auf die Probleme der Kinder völlig individuell einzugehen. Die Methode ist offen für Anregungen und Verbesserungen von außen, alle Komponenten sollen sich ergänzen und ineinanderwirken, sodass dem Kind die bestmögliche Hilfestellung gegeben wird.

Die AFS-Methode wird den ganz speziellen und individuellen Bedürfnissen der Menschen mit Schreib-, Lese- oder Rechenschwierigkeiten gerecht. Durch die Kombination von vorgegebenen Strukturen und Bereichen als eine umfassende Methode und die frei wählbaren Teile und Gewichtungen, die eingebracht werden können, also eine Methode, die völlig offen gegenüber allen bewährten Förderansätzen ist, wird dies möglich. Vgl. https://www.legasthenie-lrs-dyskalkulie.com/tag/afs-methode/

Weiterführende Literatur:

Kopp-Duller, Astrid: Legasthenie – Training nach der AFS-Methode. 5. Auflage, 2017.

SCHWERPUNKTE DER LERNINHALTE VON DER GRUND- BIS ZUR MITTELSCHULE

Einen wesentlichen Eckpfeiler und damit wertvolle Anhaltspunkte für eine spezifische Lernförderung stellt die Information dar, auf welchen Inhalten in den verschiedenen Fachbereichen die Schwerpunkte im Unterricht in den verschiedenen Schulstufen liegen sollen. Eine Übersicht, auf welche Lerninhalte in den verschiedenen Schulstufen in den deutschsprachigen Ländern besonders Wert gelegt wird, ist deshalb sehr hilfreich. Diese Übersicht kann natürlich keinen Anspruch auf Vollständigkeit erheben, jedoch bildet sie eine solide Ansammlung jener Bereiche, die in den Schulen unterrichtet und abverlangt werden.

Deutsch 1. Schulstufe

Die Grundlagen des ABC werden erlernt, die Differenzierung der Buchstaben und das Erkennen der Anfangs- und Endbuchstaben. Aus einem Buchstabenhaufen wird ein Wort erstellt und Reimwörter werden gefunden sowie Wörter zu einem Satz geordnet. Bestimmte und unbestimmte Artikel werden Wörtern zuordnet. Kurze und lange Wörter werden erkannt. Einzahl und Mehrzahl von Hauptwörtern werden gebildet. Oberbegriffe und Teilbegriffe werden zugeordnet. Verben werden in verschiedene Personen gesetzt und Präpositionen richtig angewendet.

Im Lesebereich werden einzelne Wörter und einfache und kurze Texte gelesen.

Deutsch 2. Schulstufe

In der Rechtschreibung werden das Erkennen der Groß- und Kleinschreibung und das Einsetzen von Kleinbuchstaben g/k, b/p, d/t, f/v in Wörter gelehrt.

Schwerpunkte der Wortlehre sind: aus der Einzahl des Hauptwortes die Mehrzahl zu bilden, Silben zu erkennen und zu erfassen, Adjektiven das Gegenteil zuzuordnen; bei Wortstammübungen zu erkennen, welches Wort einer Wortgruppe nicht angehört; Oberbegriffe einer Wortgruppe zuzuordnen bzw. Teilbegriffe zu erkennen, die nicht zum Oberbegriff passen; aus zwei Wörtern ein zusammengesetztes Wort zu bilden, Verben in verschiedene Personen zu setzen.

Das phonologische Bewusstsein wird geschult, indem man ähnlich klingende Worte zusammenordnen kann und fehlende Laute heraushört.

In der Satzlehre werden z.b. Satzteile verbunden, die zusammenpassen. Nach dem Satz wird das richtige Satzzeichen gesetzt.

Im Lesebereich werden Texte gelesen oder vorgelesen und über den Inhalt Fragen gestellt.

Deutsch 3. Schulstufe

Die Rechtschreibung mit doppeltem Mitlaut, b oder p, d oder t, k oder ck, z oder tz, Wörter mit ä oder äu, Wörter mit aa, ee oder oo, Wörter mit Dehnungs-h, Wörter mit ie werden gelernt. Des Weiteren ist die Groß- und Kleinschreibung ein Schwerpunkt.

In der Satzlehre werden Wortarten, Satzarten, Satzglieder gelehrt.

Im Bereich Texteschreiben wird das richtige Abschreiben geübt, es wird nach Vorgaben erzählt, also nacherzählt, und auch Texte werden überarbeitet.

Im Lesebereich werden unterschiedliche Textsorten bearbeitet, ein weiterer Schwerpunkt ist das inhaltliche Erfassen der Lesetexte.

Deutsch 4. Schulstufe

In der Rechtschreibung liegt der Schwerpunkt auf Wörtern mit s, ss, ß, g, k, Dehnungs-h, i und ai, des Weiteren auf Nachsilben von Nomen, Groß- und Kleinschreibung, Fremdwörtern und Zeichensetzung.

Satzglieder, der Satzkern, zusammengesetzte Nomen, die Zeitform des Verbs und Wortfamilien sind Themen der Sprachlehre.

Texte werden verfasst, in Texten werden Wortfelder bearbeitet.

Im Lesebereich werden Texte vorgelesen und nacherzählt, das Textverständnis wird überprüft.

Deutsch 5. Schulstufe

Die Rechtschreibung hat folgende Schwerpunkte: Dehnung und Schärfung, s-/ss-/ß-Schreibung, Groß- und Kleinschreibung, Vokale und Konsonanten, Trennungsregeln, Wortbestandteile, Wortfamilien und Wortstamm.

In der Wortlehre sind Substantiv/Nomen, Verb, Adjektiv, Artikel, Pronomen, Präposition, Konjunktion und Adverb die Schwerpunkte, in der Satzlehre die Satzteile, Satzarten, Adverbialien und Objekte.

Die Zeichensetzung in der direkten bzw. wörtlichen Rede, bei Haupt- und Nebensätzen, Einschüben, Aufzählungen und Anreden wird gelehrt.

Im Textbereich werden Sachtexte und auch schon literarische Texte bearbeitet. Auch Grundregeln, wie man unterschiedliche Textsorten schreibt, werden gelehrt und ebenso die Grundregeln des Erzählens: wie man etwa Höhepunkte in einer Erzählung herausarbeitet und einen nachhaltigen Schluss schreibt und überhaupt einen abwechslungsreichen Satzbau gestaltet.

Deutsch 6. Schulstufe

Im Rechtschreibbereich sind einmal mehr die Dehnung und auch die Schärfung sowie die s-/ss-/ß-Schreibung und Konsonanten ein Thema, weiters werden Wortfamilien, Wortstämme und Wortbestandteile erarbeitet.

In der Satzlehre werden grundlegend Satzglieder, Subjekt- und Objektsätze sowie Relativsätze bearbeitet.

In der Wortlehre stehen Verb, Pronomen und andere Wortarten im Mittelpunkt.

Die Kommasetzung bei Vergleichen, Einschüben, Anreden, Aufzählungen und zwischen Haupt- und Nebensätzen sowie bei Infinitivgruppen wird unterrichtet.

Der Textbereich umfasst Erzählen, Beschreibungen, Berichte, und auch das Verstehen von Texten und Gedichten.

Deutsch 7. Schulstufe

Sogenannte Faustregeln der Rechtschreibung sind das Thema. Weiters liegen die Schwerpunkte auf der Zusammen- und Getrenntschreibung und der Groß- und Kleinschreibung.

In der Grammatik werden Aktiv und Passiv, Konjunktiv und auch Satzglieder vertieft.

Die Kommasetzung bei Satzreihe, Satzgefüge, Aufzählungen oder Infinitivgruppen wird unterrichtet.

Die Beschäftigung mit Texten aller Art ist ein weiterer Schwerpunkt dieser Schulstufe. Texte werden geschrieben, verändert, die Art des Textes wird bestimmt, Texte werden gelesen, der Aufbau wird analysiert etc.

Deutsch 8. Schulstufe

In der Rechtschreibung gibt es folgende Schwerpunkte: Rechtschreibstrategien, Wörter in Silben zerlegen, Dehnungs-h, silbentrennendes h, Doppelkonsonanten, Wörter mit k oder ck, mit z oder tz, mit ä oder e, mit äu oder eu, Groß- und Kleinschreibung, Getrennt- oder Zusammenschreibung, Fremdwörter etc.

In der Grammatik werden Fälle, Zeitformen, starke und schwache Verben, Pronomen, Präpositionen, Konjunktionen, Aktiv, Passiv etc. gelehrt.

In der Wortlehre werden Wörter zusammengesetzt, aus Präfixen und Suffixen neue Wörter gebildet und Wortfelder bearbeitet.

In der Satzlehre wird Folgendes fokussiert: Stellung der Satzglieder (Subjekt, Prädikat, Objekt), Präpositionalobjekte, Attribute, adverbiale Bestimmungen, Gleichsetzungsnominativ, Adverbialsätze, Fragesätze, Relativsätze, Infinitivgruppen, Satzgefüge, Satzreihe, direkte und indirekte Rede etc.

Unterschiedliche Texte werden gelesen, der Schwerpunkt liegt auf dramatischen Texten, Gedichten, Balladen, Erzähltexten und journalistischen Texten. Beim Schreiben werden Texte geplant sowie Zusammenfassungen und Argumentationen geschrieben.

Mathematik 1. Schulstufe

Ziffern werden erlernt. Der Zahlenraum bis 20 wird bearbeitet. Mengenverständnis, Zählen, Rückwärtszählen, Zahlenzerlegen, Zahlenverdoppeln, Geldwerte, Addieren und Subtrahieren beinhaltet der Lehrplan.

Mathematik 2. Schulstufe

Der Zahlenraum bis 100 wird bearbeitet. Hundertertafel, Zahlenstrahl, Addieren mit Zehnerübergang, Subtrahieren und Ergänzungsaufgaben, Zehnerschritte, Teilen von Mengen, Menge und Malrechnungen, Zahlenzerlegen, Halbieren, Verdoppeln, Sachaufgaben, auch mit Wochentagen und Uhrzeit, werden unterrichtet.

Mathematik 3. Schulstufe

Der Zahlenraum bis 1.000 wird bearbeitet: Addieren, Subtrahieren, Multiplizieren und Dividieren bis 1.000, ebenso Sachaufgaben bis 1.000.

In der Geometrie werden Formen und Körper vorgestellt. Berechnungen mit Geld werden gelehrt und auch Berechnungen mit Maßen, Gewichten und Zeit.

Mathematik 4. Schulstufe

Der Zahlenraum bis 10.000 und in manchen Ländern schon bis zu 1.000.000 wird bearbeitet: Addieren, Subtrahieren, Multiplizieren und Dividieren bis 10.000, ebenso Sachaufgaben bis 10.000 und Brüche.

In der Geometrie werden Körper und ihre Eigenschaften, parallele Linien und rechter Winkel, Fläche und Umfang sowie der Kreis gelehrt und Berechnungen von Zeit, Gewichten, Rauminhalten und Geld durchgeführt.

Mathematik 5. Schulstufe

Im Bereich der natürlichen Zahlen werden Zahlenbegriff, Zehnersystem, Stellenwertsysteme, große Zahlen, Runden, Rechnen mit Einheiten und römische Zahlen unterrichtet.

Addition, Subtraktion, Multiplikation, Division, Rechengesetze und die Zusammenhänge der Rechenarten sowie Teiler, Vielfaches, Primzahlen, Potenzen, kgV und ggT sind Themen der fünften Schulstufe.

Die Menge der ganzen Zahlen, negative Zahlen, Addieren und Subtrahieren von ganzen Zahlen, Multiplizieren und Dividieren von negativen Zahlen und die Anwendung der Rechengesetze sind weitere Themen.

In der Geometrie werden Koordinatensystem, Strecken, Geraden (Lagebeziehungen von Geraden, Halbgeraden) und Kreislinien gelehrt.

Zeit-, Längen-, Gewichtberechnungen, auch in Textaufgaben, werden durchgeführt, ebenso Flächen- und Umfangberechnungen.

Mathematik 6. Schulstufe

Schwerpunkte sind: Addition, Subtraktion, Multiplikation und Division mit Brüchen und Dezimalzahlen; Veranschaulichen, Erkennen, Berechnen, Erweitern und Kürzen von Brüchen; Umwandeln, Runden, Multiplizieren und Dividieren von Dezimalzahlen; Darstellung in der Stellenwerttafel, Punkt- und Strichrechnung bei Brüchen, weiters Prozentrechnung und Zinsrechnung sowie Darstellung von Diagrammen und Wahrscheinlichkeitsberechnungen.

In der Geometrie werden Verschiebung, Spiegelung, Winkel und Drehung unterrichtet.

Mathematik 7. Schulstufe

Gleichungen, Prozent- und Zinsrechnungen, Terme und Rechnen mit rationalen Zahlen sind wesentliche Unterrichtsschwerpunkte, ebenso weitere Wahrscheinlichkeitsberechnungen wie Zufall und Häufigkeiten.

In der Geometrie sind wichtige Themen: Dreiecksberechnungen wie Inkreis, Umkreis, Höhen, Kongruenz von Dreiecken, gleichschenkelige und rechtwinkelige Dreiecke, Winkelberechnungen wie die Winkelsumme und die Achsensymmetrie, die Punktsymmetrie und die Mittelsenkrechte.

Mathematik 8. Schulstufe

In der Algebra werden Rechengesetze, das Ausmultiplizieren und binomische Formeln unterrichtet. Bei den

Bruchrechnungen sind Bruchterme, Bruchgleichungen und rationale Funktionen der Schwerpunkt. Weiters werden lineare Gleichungen, Ungleichungen und Gleichungssysteme in rechnerischer Weise und in Form einer grafischen Lösung behandelt. Wurzelrechnungen, quadratische Gleichungen und quadratische Funktionen werden gelehrt. Die lineare Wahrscheinlichkeit und Zufallsexperimente werden im Rahmen der Wahrscheinlichkeitsberechnungen erarbeitet.

In der Geometrie werden Flächen und Rauminhalte, ebene und räumliche Figuren, berechnet. Auch Ähnlichkeitssätze, ähnliche Figuren, der Strahlensatz und die zentrische Streckung sind weitere Unterrichtspunkte.

Englisch

Im Folgenden werden die Lerninhalte des Englischunterrichts bzw. die Schwerpunkte in verschiedenen Stufen zusammengefasst. Da der Zeitpunkt, wann mit dem Englischunterricht begonnen wird, in den deutschsprachigen Ländern sehr unterschiedlich ist, werden die Abschnitte nur als Stufen bezeichnet, sie entsprechen damit nicht Schulstufen. Es ist darauf zu achten, dass die Aufgaben zu den einzelnen Themenbereichen altersgemäß angeboten werden.

Englisch 1. Stufe

In der ersten Stufe werden folgende Themenbereiche bearbeitet: Zahlen, Farben, Essen und Trinken, Gemüse und Obst, Tiere, Wochentage, Monate, Zeit, Familie, Zuhause, Schule, Wetter, Tiere, Kleidung, menschlicher Körper, einzelne

Teile des Hauses wie Küche, Bad, Wohnzimmer etc. Wörter und sehr einfache Sätze werden unterrichtet.

Englisch 2. Stufe

In der zweiten Stufe werden Nomen, Pronomen, Präpositionen, Zeiten, Aussagesätze, Nebensätze, Fragen, Zahlen, Uhrzeit, Datum, Ort etc. unterrichtet. Das Textverständnis, auch in Gesprächssituationen, der Wortschatz und auch das Leseverständnis werden erweitert.

Englisch 3. Stufe

In der dritten Stufe werden Sätze in den Zeiten der Gegenwart und einfachen Vergangenheit als Aussage-, Frage- und Nebensätze gebildet. Die Erarbeitung von Nomen, Artikel, Genitiv, Pronomen, Präpositionen des Ortes, der Zeit und der Richtung sind weitere Schwerpunkte. Eine Vertiefung erfolgt im Bereich der Zeit- und Ortsangaben sowie im Umgang mit Zahlen.

Der Wortschatz wird vertieft und erweitert und das Verstehen des Gelesenen wird gelehrt.

Englisch 4. Stufe

In der vierten Stufe werden Sätze in den Zeiten der Gegenwart, Zukunft und Vergangenheit gebildet. Adjektive, Adverbien, Adverbialsätze, modale Hilfsverben, Pronomen sowie Frage-, Relativ- und Konditionalsätze stellen weitere Schwerpunkte dar.

Der Wortschatz und die Lesefertigkeit sowie das Leseverständnis werden weiterhin erweitert.

Englisch 5. Stufe

In der fünften Stufe sind neben den verbleibenden Zeitformen die verschiedenen Arten der Pronomen, modale Hilfsverben, aktive und passive Formen, auch in verschiedenen Zeiten, direkte und indirekte Rede sowie die Vertiefung von Frage-, Relativ- und Konditionalsätzen und des Infinitivs sowie if-Sätze die Schwerpunkte.

Der Wortschatz, die Lesefertigkeit und das Leseverständnis werden weiterhin erweitert und die Arbeit mit dem Wörterbuch angeleitet.

Englisch 6. Stufe

In der sechsten Stufe werden die Zeitformen wiederholt und Konditionalsätze, Infinitiv, Partizip sowie Einzahl und Mehrzahl von Hauptwörtern, Adverb und Adverbial vertieft.

Der Wortschatz wird mit Redewendungen angereichert. Einen wichtigen Teil des Unterrichts stellt das Anhören oder Lesen und Wiedergeben von Inhalten dar.

Damit das Lernen leichter vonstattengeht und das Selbstvertrauen gestärkt wird, kann man folgende Maßnahmen ergreifen:

- Für ein erfolgreiches Lernen ist auf jeden Fall eine ausreichende **Lernmotivation** notwendig. Nur wenn dem Lernenden bewusst ist, dass er für gute Leistungen auch hart arbeiten muss, kann es zu einem Lernerfolg kommen.

- Eine möglichst **ablenkungsarme Lernumgebung** ist die Voraussetzung für ein erfolgreiches Lernen. Ein eigener Lernplatz, wie z.b. ein aufgeräumter Schreibtisch und ausreichend Licht im Kinderzimmer, wo das Kind Ruhe zum Lernen findet, trägt wesentlich zum aufmerksamen Lernen bei.

- Es ist notwendig, einen **Zeitplan** zu erstellen, sodass nicht nur regelmäßige Lerneinheiten geplant werden, sondern auch Lernpausen. Zur Zeitplanung gehört auch, dass man zur rechten Zeit plant, welche Stoffgebiete erlernt werden sollen. In den Lernpausen sollte man sich bewegen, etwas trinken oder auch eine Kleinigkeit essen.

- Für ein erfolgreiches Lernen sollte man die **Sinne** benützen. Wichtig ist es herauszufinden, welcher Lerntyp man ist. Ein auditiver Lerntyp wird andere Lernhilfen benötigen als ein visueller oder kommunikativer Lerntyp.

- Für **Abwechslung in der Lernstruktur** kann es auch sehr hilfreich sein, wenn man mit Klassenkameraden oder auch außerschulischen Spezialisten, die auf pädagogisch-didaktischer Ebene helfen, den Lernstoff erarbeitet, da jeder Mensch andere Ideen für ein erfolgreiches Lernen mitbringt.

- Der Lernstoff soll in **kleine Lernportionen** eingeteilt werden. Beim Lernen haben sich kleine Schritte bewährt, weil diese dazu beitragen, dass der Lernstoff besser und langfristig aufgenommen wird.
- Um eine **Lernzeitverkürzung** zu erreichen, soll bereits im Schulunterricht aufmerksam zugehört und mitgearbeitet werden, damit man zu Hause nur mehr wiederholen muss.
- **Digitale Medien** sollen sinnvoll genützt werden, d.h. gezielt in den Lernprozess miteinbezogen werden.
- Es ist aber notwendig, dass man möglichst alle **Ablenkungen und Unterbrechungen** vermeidet, wie z.B. ständig auf das Handy zu schauen, um vom gedeihlichen Lernen nicht abgehalten bzw. dabei unterbrochen zu werden.
- Nur weil man etwas „kennt", heißt das nicht, dass man es „kann". Oft sind vielfache **Wiederholungen** nötig, um den Lernstoff zu verinnerlichen und das neue Wissen zu festigen. Übung macht den Meister!
- Und schließlich tragen **Lob und Ermutigung** nicht nur zur Lernmotivation, sondern auch zum Lernerfolg maßgeblich bei. Auch für kleine Lernfortschritte soll gelobt werden!

Um die praktische Arbeit interessant und abwechslungsreich zu gestalten, benötigt man eine umfassende Materialiensammlung, egal, in welcher Art die spezifische Lernförderung durchgeführt wird. Der Spezialist, der auf pädagogisch-didaktischer Ebene arbeitet, sollte demnach auf eine umfassende Zusammenstellung von bewährten Unterrichtsmaterialien zurückgreifen können.

Bei der Auswahl ist besonders darauf zu achten, dass die Unterrichtsmaterialien sehr gute Bewertungen haben oder, noch besser natürlich, von erfahrenen Pädagogen weiterempfohlen werden. Der Markt ist überschwemmt mit sogenannten „pädagogisch wertvollen" Materialien. Nicht alle bewähren sich jedoch in der Praxis tatsächlich, so manche tragen weder zur Motivation noch zum besseren Verständnis des Lernthemas bei. Ein wichtiger Punkt ist dabei, dass die Materialien klar strukturiert sind und sich in einer einfachen und übersichtlichen Art auf die Inhalte beschränken, die unterrichtet werden sollen. Jegliches unnötige Beiwerk trägt zumeist lediglich zur Ablenkung, wenn nicht sogar zur Lernverweigerung bei. Speziell bei jüngeren Menschen, aber immer häufiger auch bei älteren, ist die Reizüberlastung sehr kontraproduktiv.

Die Grundlage einer erfolgreichen außerschulischen Lernförderung bilden, wie schon erwähnt, ausgesuchte und erprobte Lernmaterialien. Durch die unübersichtlichen, so umfangreichen Angebote in der heutigen Zeit ist es für Spezialisten, die auf pädagogisch-didaktischer Ebene arbeiten, schwierig, alle Angebote zu studieren oder gar auszuprobieren.

In der intensiven Auseinandersetzung mit diesem Thema und unter Mithilfe von unzähligen passionierten und motivierten Mitarbeitern ist es dem Ersten Österreichischen Dachverband Legasthenie gelungen, Materialien für eine spezifische Lernförderung zu entwickeln, die allen Anforderungen gerecht werden, die ausgezeichnete Lernmaterialien aufweisen sollen: einen übersichtlichen Aufbau des zu vermittelnden Inhalts, eine einfache und praktikable Handhabung der Materialien, wenig Ablenkungsmöglichkeiten, ein ausgewogenes Preis-Leistungs-Verhältnis und vor allem das Potential, sich in der praktischen Arbeit zu bewähren.

Damit die Auswahl erleichtert wird, können Interessierte auf den Internetseiten www.bestofdyslexia.com oder www.das-buch.org Materialien finden, die sich sehr gut für die spezifische Lernförderung eignen. Alle Lernmaterialien wurden von Spezialisten in der praktischen Arbeit getestet und als empfehlenswert bezeichnet. Damit man sich ein umfassendes Bild von den Materialien machen kann, werden ausgewählte im Folgenden kurz vorgestellt.

Easy Training Set Plus

Dieses Unterrichtsmaterial ist ein Trainingsprogramm zur Verbesserung der Sinneswahrnehmungen und der aktiven individuellen Schulleistungen.

Das Easy Training Set Plus beinhaltet 162 Kärtchen und 10 Vorlagetafeln in Farbe für das Training der visuellen, auditiven und räumlichen Wahrnehmung. Zusätzlich gibt es ein Labyrinth, das Geduld und Geschicklichkeit trainiert. Mit einem schönen Tangram aus Holz können Figuren, Buchstaben und Zahlen nachgelegt werden. Das fördert räumliches und logisches Denken. Schließlich gibt es noch zwei Letters2Words-Kartenspiele und eine CD-Rom, vollgepackt mit Übungen für die akustische Differenzierung und das akustische Gedächtnis. Beide Unterrichtsmaterialien werden noch detailliert beschrieben.

Das Easy Training Set Plus kommt in der spezifischen Lernförderung mit Erfolg zum Einsatz. Es ist auch ideal für die Förderung zuhause. Auch für die Förder- und Freiarbeit in der Schule ist es sehr empfehlenswert.

Inhalt:

- Hauptanleitung
- 162 Kärtchen in Farbe
- 10 Vorlagetafeln in Farbe
- Tangram mit Anleitungsbroschüre
- Akustische Übungen CD-Rom
- Labyrinth mit Anleitungskarte
- 2 Letters2Words-Kartenspiele
- Anleitungsbroschüre.

Spezielle Sinneswahrnehmungen werden dem Kind abverlangt, wenn es lesen, schreiben oder rechnen soll. Sind eine oder mehrere Sinneswahrnehmungen different ausgebildet, so ergeben sich zumeist Schwierigkeiten beim Erlernen des Lesens, Schreibens oder Rechnens. Ein regelmäßiges Training mit dem Easy Training Set Plus von täglich bis zu 20 Minuten führt zur Verbesserung der individuellen Sinneswahrnehmungen. Bei der Arbeit mit den Materialien des Easy Training Set Plus werden auch die Bereiche ersichtlich, in denen eventuelle differente Sinneswahrnehmungen vorhanden sind, die trainiert werden sollen.

www.easy-training-set.com

Letters2Words-Kartenspiel

Dieses pädagogische Kartenspiel dient zur Worterarbeitung und unterstützt Kinder mit Lese- und Schreibproblemen. Mit den von der renommierten Spielkartenfirma Piatnik in Wien hergestellten Karten kann man spielend

Buchstaben und Wörter erarbeiten und Leseübungen machen. In dem Kartenspiel sind zwei Pakete mit 110 Karten mit allen Buchstaben enthalten sowie sechs Joker, die auch Mit- oder Selbstlaute symbolisieren können.

www.letters2words.com

Mein Lesebuch

Das Lesebuch enthält 20 entzückende Geschichten mit farbigen Illustrationen, die für Kinder von 8 bis 12 Jahren geeignet sind und Kindern erfahrungsgemäß Freude bereiten. Das Konzept basiert auf der Erfahrung von 20 Jahren Lese- und Legasthenietraining, die Texte sind in einer besonderen Schriftart

gedruckt, linksbündig formatiert und ohne Abtrennungen. Die zu lesenden Wörter werden farblich hervorgehoben und vom restlichen Text abgegrenzt. Das Buch gibt es mit einem Online-Audiobuch zum Vorlesen und Mitlesen und mit Fragen zum Text. Die Texte können auch besonders leicht mit der Easy Reading-Leseschablone gelesen und erfasst werden.

www.meinlesebuch.com

Easy Reading-Leseschablone

Mit dieser patentierten Leseschablone erlernen alle Kinder das Lesen leichter und auch beim täglichen Lesen wird diese gerne von Kindern und Erwachsenen benützt.

Die Wirkungsweise ist einfach zu erklären. Das zu lesende Wort wird farbig hervorgehoben und vom restlichen Text abgegrenzt. Man bleibt auf der Zeile. Eine eigene Lesetechnik (Spellreading) hilft, den Text besser zu erfassen, die Anleitung findet man auch auf der Rückseite der Leseschablone. Diese Schablone ist sehr gut zum Üben alleine, zum Üben zu zweit oder in der Klasse geeignet. Sie dient auch als Lesezeichen.

Die rechteckige Kunststoffschablone, ca. 20 cm breit und 8 cm hoch, hat an allen vier Ecken farbige Fenster, durch die gelesen wird. Man legt die Schablone auf den Text mit seiner Lieblingsfarbe links oben - und los geht's!

www.leseschablone.com

Easy Maths Set

Dies ist eine Sammlung von Unterrichtsmaterial, das zu einer Verbesserung der individuellen Rechenleistungen beiträgt.

Diese pädagogische Spielesammlung zur Verbesserung der Rechenfertigkeit wurde nach den neuesten wissenschaftlichen Erkenntnissen zusammengestellt und kommt in der spezifischen Lernförderung zum Einsatz.

Das Easy Maths Set enthält Würfel, Plättchen, Karten, Vorlagen und Anleitungen für Übungen im Aufmerksamkeits-, Funktions- und Symptombereich im täglichen Rechentraining der Grundrechnungsarten für Kinder ab 6 Jahren, alles ist in einer Schachtel verpackt.

Inhalt:

- 3 Broschüren mit ca. 100 Spielanleitungen
- 2 Spielpläne
- 1 Turmrechenblock
- 1 Mathe4Matic-Kartenspiel
- 200 Plättchen in vier Farben
- 2 0-9-Würfel
- 1 Würfelset 0-9-Würfel, 00-90-Würfel, 000-900-Würfel, 0000-9000-Würfel.

Ein regelmäßiges Training mit dem Easy Maths Set von täglich bis zu 20 Minuten führt zur Verbesserung der individuellen Sinneswahrnehmungen und somit zur Verbesserung der Rechenleistungen. Zusätzlich ist auch ein regelmäßiges Training der Grundrechnungsarten notwendig und auch darauf zu achten, dass das Kind gedanklich beim Rechen ist.

www.easy-maths-set.com

Mathe4Matic-Kartenspiel

Dieses pädagogische Kartenspiel zum Rechnen hilft Kindern mit Rechenproblemen auf eine sehr effiziente Weise. Das Konzept ist verblüffend einfach: Rechnen mit Karten. Mit den von der renommierten Spielkartenfirma Piatnik in Wien

hergestellten Karten kann man spielend die Zahlen, Mengen und Grundrechnungsarten erlernen.

Im Kartenspiel sind Karten mit den Zahlen 1 bis 12 in 4 Farben enthalten sowie 4 Joker, die auch die 4 Grundrechnungsarten symbolisieren können.

www.mathe4matic.com

FÖRDERSPIELE AM COMPUTER, TABLET ODER SMARTPHONE

Um einen abwechslungsreichen Förderunterricht gestalten zu können, müssen Spezialisten, die auf pädagogisch-didaktischer Ebene arbeiten, ausreichendes Material zur Verfügung haben. Je abwechslungsreicher eine Förderung gestaltet wird, desto motivierter werden auch die Lernenden sein. Dabei ist auch oft der Einsatz von neuen Medien wie Computer und Tablet hilfreich. Im Folgenden werden einige bewährte Förderspiele vorgestellt, die man am Computer, Tablet oder sogar am Smartphone spielen kann.

Akustische Übungen CD-Rom

Diese CD-Rom eignet sich in der spezifischen Lernförderung zum Training der akustischen Sinneswahrnehmungen. Die akustische Differenzierung ist die Leistung, aus dem Gehörten gleich oder ähnlich Klingendes herauszuhören. Das

akustische Gedächtnis ist die Leistung, Gehörtes zu behalten, abzuspeichern und wiederzugeben. Die akustische Serialität ist die Leistung, Gehörtes in der richtigen Reihenfolge zu behalten und wiederzugeben. Die beschriebenen Bereiche werden vorrangig gefördert. Die Fähigkeit des genauen Hörens stellt einen wesentlichen Faktor für ein erfolgreiches Schreiben-, Lesen- und Rechnenlernen dar.

Diese CD-Rom enthält 40 Übungen für die akustische Differenzierung, 30 Geschichten mit 300 Fragen für das akustische Gedächtnis in Deutsch und 10 Geschichten mit 100 Fragen in Englisch sowie ein Serien-Spiel mit Tönen für die akustische Serialität.

www.auditiv-wahrnehmen.com

Die folgenden Computerspiele können online kosten- und werbefrei gespielt werden. Um die Spiele auch offline spielen zu können, kann man diese auf CD-Rom, USB-Spieleband oder als digitalen Download erwerben. Dabei erwirbt man das Recht, diese Spiele auf allen Computern zuhause oder in der Schule zu installieren, sodass zum Spielen kein Internet erforderlich ist.

Diese Spiele und weitere Materialien sowie Literatur für die spezifische Lernförderung finden Sie im **Online-Shop** vom **Ersten Österreichischen Dachverband Legasthenie**. Die Autoren unterstützen damit das gemeinnützige Ziel, Menschen mit Lese-, Schreib-, Rechen- und anderen Lernproblemen zu fördern.

shop.legasthenie.com

Lernpuzzles

In diesem Computerspiel sind 160 bzw. online sogar 185 Puzzles in zehn verschiedenen Kategorien enthalten. Die schönsten Motive können in Schwierigkeitsgraden von 10 bis über 100 Teilen gespielt werden. Mittels intuitiver Puzzlesteuerung ist das Spielen auf Smartphone, Tablet oder Computer möglich. Geschult werden die optische Differenzierung und auch die Raumwahrnehmung. Diese beiden Fähigkeiten sind eine wesentliche Voraussetzung für ein problemloses Erlernen des Schreibens und Lesens.

www.lernpuzzle.com

Schiebepuzzles

Mit den 20 Schiebepuzzles in verschiedenen Größen wird die optische Serialität trainiert. Die optische Serialität ist die Fähigkeit, optische Eindrücke der Reihe nach zu ordnen. Dies ist eine wichtige Voraussetzung für gutes Schreiben, Lesen und Rechnen.

www.schiebepuzzle.com

Wortpuzzles

Wörter, die oft fehlerhaft geschrieben werden, können in Puzzles geübt und vertieft werden. Worterarbeitung einmal anders! Es gibt eine Liste von jenen 100 Wörtern, die von Grundschulkindern am häufigsten falsch geschrieben werden. In einer Studie wurden Aufsätze von Schülern der zweiten bis zehnten Klasse im Hinblick auf Rechtschreibfehler ausgewertet. Es zeigte sich, dass 20 Prozent aller Falschschreibungen auf lediglich 100 Wörter entfielen. Es handelt sich dabei um Wörter, die in allen Texten häufig vorkommen, z.B. plötzlich, allein, ziemlich, bisschen, nämlich etc. Diese Wörter kann man sich mit den Wortpuzzles spielerisch erarbeiten. Beim Puzzeln visualisiert man das Wort intensiv und speichert es besser ab.

www.wort-puzzle.at

Spielesammlung Aufmerksamkeit

Die Fähigkeiten, aufmerksam zu sein und die Aufmerksamkeit über einen längeren Zeitraum aufrechtzuerhalten, werden bei den fünf verschiedenen Spielen trainiert. Diese Fähigkeiten sind eine wesentliche Voraussetzung für ein problemloses Erlernen des Schreibens, Lesens und Rechnens. Dieses Training trägt deshalb vorrangig zur individuellen Verbesserung der Lese-, Schreib- und Rechenleistungen bei. Ein häufiges Problem von Kindern mit ungenügenden Leistungen in den Bereichen Schreiben, Lesen und Rechnen ist die erschwerte Aufmerksamkeitsfokussierung bei diesen Tätigkeiten. Geschult werden auch das Zusammenwirken der Sinneswahrnehmungen und die Fokussierung der Aufmerksamkeit. Wissenschaftliche Forschungen haben ergeben, dass eine Verbesserung der Aufmerksamkeit wesentlich zur Verbesserung der Schreib-, Lese- und Rechenleistungen beiträgt.

www.eurolernspiel.de

Spielesammlung
Raumwahrnehmung

Kinder mit Raumwahrnehmungsproblemen können ihre Position im Raum nicht richtig einschätzen. Sie haben oftmals ein sehr schlechtes Zeitgefühl und ein geringes Orientierungsvermögen. Dies kann zu Problemen beim Lesen, Schreiben und/oder Rechnen führen.

Abschätzen, Ordnen, Suchen, Einpassen und weitere wichtige Tätigkeiten werden bei den hier angebotenen Spielen trainiert, als Funktionstraining ohne Buchstaben und Zahlen zur individuellen Verbesserung der Lese-, Schreib- und Rechenleistung. In der Spielesammlung sind sechs verschiedene Spiele zur Förderung der Raumwahrnehmung enthalten.

www.intellecta.de

4-Farben-Kartenspiel

Dieses Spiel fördert das Zusammenwirken der Sinneswahrnehmungen und auch die Aufmerksamkeitsfokussierung. Diese Fähigkeiten sind eine wesentliche Voraussetzung für ein problemloses Erlernen des Schreibens, Lesens und Rechnens.

www.4farben.com

Klassische Brettspiele

In dieser Spielesammlung sind die vier klassischen Brettspiele Schach, Dame, Backgammon und Mühle enthalten, die nicht nur zum Denken und Taktieren anregen, sondern auch zur Förderung der

Aufmerksamkeitsfokussierung wesentlich beitragen, die man beim Schreiben, Lesen oder Rechnen benötigt. Zusätzlich gibt es noch ein Domino als Bonus.

brettspiele.4farben.com

FALLBEISPIELE AUS DER SPEZIFISCHEN LERNFÖRDERUNG

Fallbeispiele aus der Praxis sind immer hilfreich und für die eigene Arbeit anregend. Die Probleme, mit denen Eltern und Betroffene an Spezialisten der spezifischen Lernförderung herantreten, sind sehr vielfältig, sodass es nicht möglich ist, alle potentiellen Vorgehensweisen abzubilden, da jeder Fall individuell ist und auch als solcher behandelt werden muss.

Die folgenden Fallbeispiele sollen einen Einblick in die Arbeit der spezifischen Lernförderung geben. Keinesfalls sollten die beschriebenen Vorgehensweisen jedoch als Patentrezept angesehen werden, da die spezifische Lernförderung sehr facettenreich ist und mitunter eine Maßnahme, die bestens in einem Fall funktioniert hat, bei einem anderen nicht den gewünschten Erfolg bringt. Deshalb müssen in jedem Fall die Interventionen individuell angepasst werden, denn nur dann werden sich nachhaltige Erfolge einstellen. Die Fallbeispiele sollen daher als Anregungen angesehen werden, wie man in gewissen Fällen vorgehen kann, welche Testverfahren und Materialien eingesetzt bzw. welche Maßnahmen ergriffen und welche anderen Spezialisten in die Förderung miteinbezogen werden können.

Sehr viel Fingerspitzengefühl und Einfühlungsvermögen sind vom Spezialisten gefragt, um auf spezielle Situationen richtig reagieren zu können. Schnell wird klar, dass das Kennenlernen der Persönlichkeit des Förderkandidaten und des familiären und schulischen Umfelds wesentlich ist, um den richtigen

Förderansatz anbieten zu können. Eine große Rolle spielt dabei auch, dass der ehrliche Wille des Betroffenen zur Mitarbeit vorhanden ist und dass sich Spezialist und Förderkandidat menschlich verstehen und Vertrauen zueinander aufbauen.

LERNVERSAGEN DURCH MOBBING

Vier Schuljahre hindurch war Michael ein guter Schüler und bei Kindern und Lehrern beliebt, er hatte keinerlei Probleme in der Schule. Dies änderte sich, wenn auch nur langsam und von den Eltern zuerst fast unbemerkt, als er in das Gymnasium kam.

Auffällig war zuerst, dass sich Michael in der Früh oftmals nicht wohl fühlte und über Kopfweh und Übelkeit klagte. Ärzte wurden konsultiert, jedoch kam es zu keiner zufriedenstellenden Erklärung, sondern lediglich zu Vermutungen, z.b. mit der „Begründung", dass Michael in die Pubertät gekommen war etc.

Irgendwann war es dann so weit, dass sich das Kind überhaupt weigerte, in die Schule zu gehen. Die entsetzten Eltern waren der Meinung, dass dies damit zusammenhängen würde, dass Michael die gewohnten guten Noten im Gymnasium nicht mehr erzielen konnte. Von Micheal war keine Erklärung zu bekommen, er sagte nur wiederholt, dass er nicht mehr in die Schule gehen möchte. Auf Gründe angesprochen, schwieg er oder reagierte mit einem Achselzucken, als ob es keine geben würde. Auch die Lehrer konnten auf die Anfrage der Eltern, ob es in der Schule zu irgendwelchen negativen Ereignissen gekommen war, keine Erklärung für Michaels Verhalten finden.

Um eine Verbesserung der Noten zu erreichen, wandten sich die Eltern an einen Spezialisten, der Schülern auf pädagogisch-didaktischer Ebene zur Seite stand. Michael war damit einverstanden und bald wurde eine außerschulische Hilfe gestartet. Für den Spezialisten war schnell klar, dass es für das Versagen in der Schule andere Gründe als mangelndes Verständnis oder zu wenig Lerneifer geben musste.

Der Spezialist wandte in diesem Fall zur Förderdiagnose und zur spezifischen Förderung das Programm Learnedy an, um Michael im Englischbereich zu stärken. Nach und nach gelang es im außerschulischen Unterricht, als Michael sehr eifrig die Englischaufgaben löste, sein Vertrauen zu gewinnen, indem man häufig auf Schulsituationen zu sprechen kam und ihn auch für seine Leistungen in den Förderstunden lobte. Dennoch dauerte es einige Zeit, bis Michael eines Tages mit seinem Leid förmlich herausplatzte.

Es war vor einer Klassenarbeit in Englisch und Michael war gut vorbereitet. Trotzdem sagte er, dass er es wieder nicht schaffen würde, weil der Lehrer ihm schon mehrmals vor der Klasse gesagt hätte, dass er einfach zu dumm dafür wäre, die englische Sprache zu erlernen. Dies hatte auch zur Folge, dass eine Gruppe von Buben ihn zu verspotten begann, ihn auslachte, verletzende Bemerkungen machte, seine Hausaufgaben und Schulmaterial entwendete und ihn sogar im Pausenhof zuerst massiv bedrohte und schließlich tätlich mit Schlägen bedrängte. Ausgehend vom Englischunterricht zog sich der Psychoterror durch den gesamten Schulalltag.

Michael sagte, dass er die gesamte Zeit in der Schule ängstlich darauf wartete, was als Nächstes passieren würde. Sich einem Lehrer anzuvertrauen, hatte er bis dato nicht gewagt, weil er doch alleine dastehen und man ihm nicht glauben würde. Offensichtlich gingen seine mobbenden Mitschüler sehr geschickt vor und vermieden es, dass es Zeugen für ihre Handlungen gab.

Dieses wohl nicht neue Phänomen ist Spezialisten, die außerschulisch arbeiten, absolut bekannt. Immer wieder werden Kinder und auch Jugendliche aus verschiedenen Gründen, z.b. wegen eines geringen Selbstwertgefühls wie in diesem konkreten Fall, Opfer von solchen Attacken der Mitschüler. Aus Angst wagen die Betroffenen es nicht, sich den Eltern oder anderen Mitmenschen anzuvertrauen. Mobbende wollen Macht und Stärke demonstrieren, haben zumeist ein übersteigertes Selbstwertgefühl und finden Mittäter, die zwar nicht die Führerrolle innehaben, jedoch dieselben Motive wie die Anführer. Gemeinsam werden sie bei der Suche nach einem Opfer schnell fündig. Bei Michael war aber der Auslöser im pädagogisch sehr unklugen Verhalten des Englischlehrers gegeben.

In solchen Fällen kann sich aber der Betroffene nicht alleine aus seiner fatalen Situation befreien und braucht dringend Hilfe von Menschen in seiner Umgebung.

Michaels Eltern hatten zwar den Grund der Warnsignale, die er aussandte, nicht als Mobbing erkannt, jedoch eine Veränderung in seinem Wesen wahrgenommen und eine gute Entscheidung getroffen, indem sie einen externen und damit nicht emotional involvierten Spezialisten konsultierten.

Mit der Hilfe dieses Spezialisten gelang es schließlich, Michael aus dieser Situation zu befreien. Der Spezialist fand in Gesprächen einen guten Zugang, sodass sich Michael ihm anvertraute, so konnten Mittel und Wege gefunden werden, diesen mobbenden Aggressoren das Handwerk zu legen. Gemeinsam mit den Eltern suchte der Spezialist, der als Mediator fungierte, zuerst ein Gespräch mit dem Schulleiter und ersuchte um ein weiteres Gespräch mit den Lehrern, die Michael unterrichteten, das schließlich auch stattfand. Sowohl der Schulleiter als auch alle Lehrer hatten von den Vorkommnissen nichts mitbekommen. Alle waren jedoch bereit mitzuhelfen und die Täter wurden zur Rede gestellt. Der Spezialist spielte dabei als eine den Tätern nicht bekannte Person eine wichtige Rolle und konnte sogar von dem einen oder anderen Mobbingmitglied ein Geständnis bekommen. Der Hauptakteur leugnete jedoch alles, war uneinsichtig, sah alles nur als Spaß. So wurde seinen Eltern auch aufgrund dieser Verhaltensweise nahegelegt, dass er die Schule verlassen sollte, was auch geschah. Michaels Leistungen verbesserten sich zusehends!

DAS SEHEN UND DAS HÖREN SIND SCHÜSSELFUNKTIONEN

Die Relevanz des intakten Funktionierens des Sehens und Hörens wird für eine erfolgreiche Schullaufbahn viel zu oft verkannt. Wenn diese Leistungen nicht ausreichend ausgebildet sind, ergeben sich unausweichlich Komplikationen. Dabei muss man zwei Gruppen unterscheiden, nämlich jene Kinder, deren Hör- oder Sehfunktionen aus physischen Gründen fehlentwickelt sind, und eine zweite Gruppe, deren Sinnesentwicklung, die den Seh- und Hörbereich regelt, nicht ausreichend ausgebildet ist.

In diesem konkreten Fall wurde Lia, sie besuchte die erste Schulstufe und das Schuljahr war fast zu Ende, von ihrem Vater zu einem Spezialisten gebracht, der in der spezifischen außerschulischen Förderung tätig war. Der alleinerziehende Vater ersuchte um Hilfe, weil das Kind im Unterricht, so seine Worte, „einfach nichts mitbekam". Er hatte Lia jeden Tag nach seiner Arbeit bei schulischen Angelegenheiten geholfen und war „mit seinem Latein am Ende".

Das Mädchen war durchaus zugänglich und wirkte auch aufgeschlossen, sodass sich die Phase der pädagogischen Förderdiagnostik eigentlich recht gut anließ. Es fragte lediglich immer wieder nach. Genau dies aber löste bei dem Spezialisten den Verdacht aus, dass das Mädchen Hörprobleme haben könnte. Der Vater wurde befragt, ob er Lia schon bei einem Ohrenarzt vorgestellt hatte. Ein Nein war die Antwort. So wurde umgehend ein Termin vereinbart und bald war auch das Ergebnis bekannt.

Das Mädchen hatte auf beiden Ohren ein extrem vermindertes Hörvermögen und konnte dadurch in der Schule dem Großteil des Unterrichts nicht ausreichend folgen. Da das Mädchen zeitlebens noch nie hundertprozentig gehört hatte, war es ihm selbst auch nicht aufgefallen. Mit ihrer unmittelbaren Umgebung konnte Lia trotz ihres verminderten Hörvermögens gut umgehen, sodass die Hörprobleme des Kindes nicht wirklich aufgefallen waren. Auch in der Schule wurden ihre tatsächlichen Schwierigkeiten nicht entdeckt.

Es folgte in den Sommerferien eine aufwendige Operation an beiden Ohren, die erfolgreich verlief. Nun stellte sich die Frage, ob Lia die erste Schulstufe noch einmal wiederholen sollte. In einem Gespräch des Spezialisten mit dem Vater und der Lehrerin wurde beschlossen, sie doch in die zweite Schulstufe aufsteigen zu lassen, was auch der Wunsch von Lia war, denn sie wollte ihre Schulfreundinnen nicht aus den Augen verlieren, was natürlich passiert wäre, wenn sie noch einmal die erste Grundschulklasse hätte besuchen müssen.

Die außerschulische Hilfe wurde intensiviert und Lia war motiviert und mit großem Eifer dabei. Nach und nach verbesserten sich ihre Leistungen und wurden schließlich sogar sehr gut. Die Entscheidung, das Kind in die nächste Schulstufe aufsteigen zu lassen, war richtig gewesen. Ohne die Operation, die ihr zwar nicht die volle Hörfähigkeit brachte, diese war jedoch ausreichend dafür, dass sie dem Schulunterricht folgen konnte, wäre eine Verbesserung nicht möglich gewesen.

Es ist also sehr wichtig, dass man als Spezialist, der auf pädagogisch-didaktischer Ebene arbeitet, auch medizinische Möglichkeiten nie außer Acht lässt. Auch wenn solche Fälle sehr selten sind, kommen sie dennoch vor. Kinder, die dem Unterricht nicht so folgen, wie es wünschenswert wäre, sind nicht immer „kognitiv originell" oder „nur faul".

Offensichtlich komplett verzweifelt betrat eine Mutter mit ihrer etwa 10-jährigen Tochter Ina die Praxis eines Spezialisten, der auf pädagogisch-didaktischer Ebene Menschen mit Lernproblemen half. Im Gespräch dauerte es etwas länger, bis sie überhaupt auf den Punkt ihres Anliegens kam. Sie schämte sich offensichtlich. Ina saß indessen ruhig neben ihrer Mutter und folgte, so ist der Eindruck, interessiert dem Gespräch. Dem Spezialisten gelang es, die Mutter dazu zu bringen, ihr Anliegen zu besprechen. Sie zog ein Gutachten aus ihrer Handtasche und legte es dem Spezialisten vor. Es handelte sich um ein Gutachten eines Psychologen, der Ina einen IQ-Wert von 80 bescheinigte und damit eigentlich ausschloss, dass jegliche Lernförderung erfolgreich sein könnte, sodass sie die Pflichtschulzeit womöglich mit einem sonderpädagogischen Förderbedarf absitzen sollte, um dann an einem geschützten Arbeitsplatz eine Beschäftigung zu finden.

Im Anamnesegespräch brachte der Spezialist in Erfahrung, dass Ina die vierte Klasse der Grundschule besuchte und Schreib- und Leseprobleme hatte, jedoch kaum Schwierigkeiten beim Rechnen. Ansonsten war die Kindheit ohne jegliche Auffälligkeiten verlaufen. Ina war ein eher zurückgezogenes Kind, das nicht viel sprach, jedoch freute sich Ina auf die Schule, was sich aber in den letzten Jahren geändert hatte. Sie klagte öfter über Bauchschmerzen, die aber ärztlich bestätigt keinen physischen Hintergrund hatten. Die Mutter meinte, dass Ina besonders dann, wenn Klassenarbeiten in

Deutsch anstanden, diese Symptome bekäme. Die Klassenlehrerin hatte deswegen auch der Mutter empfohlen, sich an einen Psychologen zu wenden.

So wurde Ina einem Psychologen vorgestellt. Die Mutter schilderte das Zusammentreffen mit ihm als eher negatives Ereignis. Bei Ina wurde ein IQ-Test gemacht und nachdem das Ergebnis feststand, war für den Psychologen schnell klar, dass Ina kognitive Probleme hätte, worauf auch die Schwierigkeiten beim Schreiben und Lesen zurückzuführen wären. Die Mutter versuchte noch, eine weitere Aussprache mit dem Psychologen zu erreichen, dazu kam es jedoch nicht.

Die Frage, ob sich der Psychologe auch anderweitig mit Ina beschäftigt hatte oder an Nachweisen wie z.b. vom Kind allein verfassten Arbeiten in Deutsch, an Klassenarbeiten oder an den Rechenleistungen des Kindes interessiert gewesen wäre, wurde von der Mutter verneint. Diese erklärte dann noch, dass das Kind an dem Konsultationstag eigentlich stark verkühlt und müde gewesen war, der Termin beim Psychologen konnte aber nicht verschoben werden. Ina war in der Testsituation sehr lustlos und konnte nicht ausreichend mitarbeiten.

Die Mutter berichtete weiter, dass sie der Inhalt des Gutachtens zuerst komplett fertiggemacht hätte, nun empfände sie die gesamte Situation nur noch als sehr beschämend. Die Beschreibung ihrer Tochter in diesem Gutachten stimmte so überhaupt nicht mit den täglich stattfindenden Aktionen überein, die sie mit ihrer Tochter erlebte. Ina hatte stets sehr gute und logische Überlegungen in unterschiedlichen Situationen des täglichen Lebens und oftmals brachte sie die Mutter sogar dazu, ihren Ideen zu folgen. Besonders gerne beschäftigte sie sich mit dem Computer.

Die Mutter konnte zum Glück die Aussage nicht akzeptieren, dass ihre Tochter kognitive Probleme hätte. Sie sprach auch mit einer Bekannten, die ihr dazu riet, sich an einen Spezialisten zu wenden, der Ina eine Hilfe beim Schreiben und Lesen und auch auf der Motivationsebene geben könnte. So suchte sie mit Ina einen Spezialisten auf.

Im Anamnesegespräch fragte der Spezialist, ob es ein längeres Fernbleiben von der Schule gegeben hätte. Die Mutter erzählte dann von einer längeren Krankheit des Kindes in der dritten Schulstufe. Anschließend beschäftigte sich der Spezialist mit Ina sehr ausführlich und schaute sich auch die Schulunterlagen und Leistungen an, die das Kind beim Lesen erbrachte. Daran erkannte man ganz deutlich, dass es auszuschließen wäre, dass das Kind einen IQ von 80 hatte. Die Aufsätze, die Ina alleine verfasst hatte, waren vom Inhalt her sehr strukturiert, lediglich die Fehleranzahl war nicht im Rahmen. Auch das Lesen ging gut, doch das Wiedergeben des Inhalts gelang nicht immer. Im Rechnen gab es keine besonderen Schwierigkeiten.

Der Gesamteindruck des Kindes ließ auf ein zumindest durchschnittliches, wenn nicht überdurchschnittliches geistiges Potential schließen, weil sich um Themen, die nicht mit dem Schreiben und Lesen zusammenhingen, eine äußerst rege Diskussion ergab. Der Spezialist schlussfolgerte, dass bei Ina durch die lange Krankheit und Schulabwesenheit eine Wissenslücke im Lesen und Schreiben entstanden war. Im Rechnen war es ihr hingegen möglich, den Anschluss zufriedenstellend zu finden. Die schlechte Leistung beim IQ-Test konnte definitiv auf den damals beeinträchtigten Gesundheitszustand des Kindes zurückgeführt werden.

Der Spezialist wandte das Feststellungsverfahren im Rahmen der Lern- und Fernförderung (LFF) an, um genau jene Bereiche im Lesen und Schreiben herauszufinden, in denen Ina Aufholbedarf hatte. Das Programm erstellte einen Förderplan mit individuellen Übungen. Die Schwerpunkte wurden in der Förderung auf die Rechtschreibung und das sinnerfassende Lesen gelegt. Auch das Selbstbewusstsein des Kindes sollte verbessert werden.

Ina besuchte acht Monate die spezifische Lernförderung. Schon nach einigen Förderstunden bemerkte auch die Lehrerin definitive Fortschritte, vorerst im Lesen. Ina kam immer pünktlich zu den Förderstunden und zeigte ohne Ausnahme eine große Lernbereitschaft. Bald hatte sie so viel Vertrauen gefasst, dass sie wesentlich mehr sprach als am Anfang. Die Erfolge in der Schule bestärkten den Spezialisten darin, dass man auf dem richtigen Weg war.

Ina besucht derzeit die Oberstufe eines Gymnasiums. Ihre große Leidenschaft ist es, am Computer zu programmieren und auch Webseiten zu gestalten. Die Lehrerin, welche die Mutter zum Psychologen geschickt hatte, erfuhr nie den Inhalt des psychologischen Gutachtens.

Spezialisten, die auf pädagogisch-didaktischer Ebene arbeiten, werden immer häufiger auch mit Fällen konfrontiert, bei denen es nicht vorrangig um das Aufholen im Sinne von Begreifen des Lernstoffes geht, sondern um das gezielte Lernen selbst. Unsere schnelllebige Zeit bringt mit sich, dass für Schüler die unkontrollierte Benützung von digitalen Medien eine potentielle Suchgefahr in sich birgt, die nicht nur das Lernen behindert, sondern auch einen massiven Schaden anrichten kann, der nur mit viel Mühe wieder zu beseitigen ist.

Der 12-jährige Arno wurde von seiner Mutter in die Praxis eines Spezialisten gebracht mit dem Anliegen, dass man dem Kind zeigen sollte, wie man richtig lernt. Arno war sichtlich wenig erfreut über das Ansinnen seiner Mutter. Im Gespräch wurde klar, dass er davon überzeugt war, keine Hilfe oder Ratschläge zu benötigen.

Die Notwendigkeit der Mitarbeit des Lernenden ist aber stets eine Bedingung, die erfüllt sein sollte, andernfalls kann es erfahrungsgemäß zu keinen Lernfortschritten kommen. Der Spezialist erklärte dies der Mutter und dem Sohn, er befragte außerdem beide, wie es um die tatsächlichen Schulerfolge stünde, und ersuchte um die Beschreibung der alltäglichen Routinen. Nach und nach begann sich ein Bild von der gesamten Problematik abzuzeichnen.

Die Mutter war alleinerziehend und schien in ihrem Job sehr gefordert zu sein, sodass wenig Zeit für Arno blieb. Er war nach der Schule in einer Lernaufsicht, machte dort zumeist seine Aufgaben und lernte für Prüfungen. In letzter Zeit jedoch kam es immer häufiger vor, dass er seine Aufgaben gar nicht erledigte und auch keine Lust mehr hatte, sich für den nächsten Schultag vorzubereiten.

Danach befragt, wie denn die Routinen in der Lernaufsicht aussähen, erzählte er, dass zuerst die schulischen Dinge erledigt werden müssten. War man damit fertig, durfte man sich mit Freizeittätigkeiten beschäftigen. Dafür standen die Pädagogen den Kindern zur Verfügung oder die Kinder durften sich auch selbst beschäftigen. Arno teilte ohne Scheu mit, dass er den Rest der Zeit mit Spielen auf seinem Handy verbrachte, was auch erlaubt wäre.

Es entstand durch die Schilderungen der Eindruck, dass Arno eine Spielsucht erfasst hatte, die er offensichtlich nicht mehr alleine in den Griff bekam. Er war sogar schon so weit, dass er lieber am Handy spielte und die Pädagogen in der Lernaufsicht bezüglich seiner Aufgaben und anderer Vorbereitungen für die Schule anlog. Warum die Verantwortlichen in der Lernaufsicht nicht bemerkten, dass er für die Schule wenig bis gar nichts mehr tat, war nicht klar.

Die Mutter wurde von zwei Lehrern in der Schule darüber informiert, dass Hausaufgaben fehlten, die Leistungen nicht entsprechend wären und schlechter würden. Die Mutter konnte sich angesichts der guten Leistungen, die Arno stets in der Schule erbracht hatte, nicht erklären, was das eigentliche Problem sein könnte. Die Lehrer hatten der Mutter nur geraten, Arno zu einem Pädagogen zu bringen, der im Einzelunterricht helfen sollte.

Vom Spezialisten ganz offen darauf angesprochen, dass sein Handy und die Sucht, damit zu spielen, das eigentliche

Problem wären, schien es für Arno nun auch ganz klar zu werden, worauf er sich da eigentlich eingelassen hatte. Allerdings versuchte er, was auch seine gute Intelligenz bestätigte, die gesamte Sache runterzuspielen, indem er zuerst seine Mutter beschuldigte, auch die ganze Zeit nur auf ihr Handy zu schauen, und auch erzählte, dass die Pädagogen in der Lernaufsicht das Handy dauernd in der Hand gehabt hätten und es auch benützten.

Erwachsene sind oft tatsächlich keine Vorbilder, was den Gebrauch von Medien anbelangt, und sie schauen bei Kindern auch zu oft weg. Andererseits ist es auch sehr schwierig, einem Kind zu erklären, warum es diese Medien nicht andauernd benützen solle, wenn die Erwachsenen selbst dies tun.

Ausführlich wurden vom Spezialisten die Mutter und das Kind beraten und auch Vorschläge gemacht, wie man wieder zu einem geregelten und maßvollen Gebrauch der Medien zurückfinden könnte. Nach einigen Stunden, in denen zuerst mit der Mutter und Arno gemeinsam, dann aber mit dem Kind alleine an der Problematik gearbeitet wurde, kam die Einsicht, dass Schulleistungen Vorrang vor dem Handygebrauch haben sollten. Es wurden auch Lernstrategien mit Arno erarbeitet und ihm wurde gezeigt, wie er im Speziellen schneller und einfacher lernen konnte, was ihn sichtlich motivierte. Der Spezialist besprach sich auch mit den Pädagogen, welche die Verantwortung in der Lernaufsicht hatten, die Arno besuchte.

Letztendlich erkannte Arno, dass das Spielen am Handy seine Schulerfolge verhindert hatte, wenn auch zum Glück nur kurzzeitig, weil seine Mutter doch recht schnell reagiert hatte. Er wurde auch dazu angehalten, sich ein Zeitlimit zu setzen, wenn er am Handy spielte. Die zeitbegrenzte Nutzung ist ein ganz wesentlicher Teil im Umgang mit Medien. Arno versprach, das Zeitlimit einzuhalten, was seine Mutter auch kontrollieren würde.

UNAUFMERKSAMKEIT UND ÜBERAKTIVITÄT SIND NICHT IMMER PATHOLOGISCH

Der Anruf einer Mutter bei einem Spezialisten ließ nichts Gutes erahnen, als diese weinend um einen Termin für ihre Tochter Maria bat. Es wäre sehr dringend und sie wäre am Ende angelangt. Was auch immer dies bedeuten sollte, wusste der Spezialist noch nicht, doch hörte sich die Situation sehr ernst an. Bei der Frage nach dem Auslöser zeigte sich die Mutter verschlossen und wollte am Telefon nichts Näheres sagen. Es wurde gleich ein Termin für den folgenden Tag vereinbart.

Pünktlich waren die Mutter und auch ihre Tochter Maria, welche die dritte Grundstufe besuchte, in der Praxis für spezifische Lernförderung erschienen. Schnell kam man auch auf den Punkt, warum die Vorstellung der Tochter so dringend wäre.

Die Mutter erzählte von nahezu nicht enden wollenden Besuchen beim Psychologen, Psychiater und Psychotherapeuten. Anlass waren die zeitweise Unruhe und gleichzeitige geistige Abwesenheit von Maria in der Schule und die daraus resultierenden schlechten Lernergebnisse. So wurde Maria zuerst zum Schulpsychologen geschickt. Schnell war die Diagnose Aufmerksamkeitsdefizit-

Hyperaktivitätsstörung (ADHS) gestellt. Bei einer ADHS, im englischen Sprachraum auch als Attention-Deficit-Hyperactivity-Disorder (ADHD) bekannt, ist eine Aufmerksamkeitsdefizitstörung mit Hyperaktivität gekoppelt. Maria wurde eine Psychotherapie empfohlen und auch der Besuch bei einem Kinderpsychiater.

Beim Erzählen der Begebenheiten begann die Mutter zu weinen. Sie meinte, dass sie an der Diagnose absolut zweifelte, weil Maria diese Symptome der Unruhe oder der Unaufmerksamkeit zuhause doch nur manchmal in Stresssituationen zeigte, was die Mutter aber nicht als außergewöhnlich ansah. Maria machte ihre Schulaufgaben zumeist alleine. Unterstützt wurde sie von der Großmutter, bei der sie am Nachmittag war. Diese half ihr dann immer mit viel Geduld, Ruhe und auch Wiederholungen weiter, wenn Maria nicht weiterwusste. Sie korrigierte auch die Hausaufgaben und hatte immer lobende und ermunternde Worte für das Kind. Wenn sich Maria mit Dingen beschäftigte, die nicht mit schulischen Tätigkeiten zu tun hatten, war sie nie abwesend oder unruhig. Sie konnte sich ausgiebig z.B. mit dem Zeichnen und Malen beschäftigen, was sie sehr gerne tat.

Aus Angst, sie könnte etwas verabsäumen, ging die Mutter aber sowohl zur Psychotherapie als auch zum Psychiater. Die Psychotherapie wurde nach einigen Sitzungen abgebrochen, weil sich Maria weigerte, nochmals hinzugehen. Marias Worte waren sehr deutlich, sie sagte: „Ich bin doch nicht blöd!"

Der Psychiater nahm sich nur fünf Minuten Zeit, dann hatte die Mutter ein Rezept mit einem Medikament, das Maria laut Psychiater helfen sollte, in der Hand. Die Mutter informierte sich über die Wirkungsweise, las einiges darüber, auch Berichte von Eltern, die ihren Kindern dieses Medikament verabreicht hatten. Ihr Gesamtbild von diesem Medikament war eher düster und sie beschloss, es Maria nicht zu geben. In der Schule wurde aber der Druck auf Maria immer stärker. Man wollte wissen, welche Wege die Mutter nun beschreiten würde, denn die Klassenlehrerin war überzeugt, dass Maria das Klassenziel nicht erreichen würde. Das war der Moment, als die Mutter, die nicht an eine Krankheit ihrer Tochter glaubte, sich dazu entschloss, einen erfahrenen Pädagogen, der außerschulisch helfen sollte, zu konsultieren.

Nach Anwendung des pädagogischen AFS-Testverfahrens, wo Maria sehr gut mitarbeitete, war bald klar, so wie es der Spezialist schon bei den ersten Gesprächen und Schilderungen vermutet hatte, dass Maria von einer Legasthenie betroffen war, was die Unaufmerksamkeit beim Lesen und Schreiben erklärte. Da der Spezialist auch auf diesem Gebiet schon vielen Kindern geholfen hatte, wurde sogleich ein individueller Förderplan für Maria erstellt, der auf den Grundprinzipen der AFS-Methode beruhte. Neben der Aufmerksamkeit wurden auch die Sinneswahrnehmungen geschult und auch an den Fehlern beim Lesen und Schreiben wurde gearbeitet.

Maria kam zweimal in der Woche zur Förderung und war auch zuhause noch motiviert, Übungen gemeinsam mit der Großmutter zu erarbeiten, die sie vom Pädagogen nach dem außerschulischen Unterricht mitbekam. Ein wichtiger Punkt aber war, dass sie lernte, die Gedanken festzuhalten, wenn sie schrieb und las. Dadurch war Maria auch meistens nicht mehr abgelenkt oder unaufmerksam und auch nicht zappelig, wenn sie schreiben oder lesen musste. Sie hatte kein Krankheitsbild, war also nicht krank oder gestört, sondern lediglich zweitweise mit den Gedanken nicht beim Schreiben und Lesen.

ADHS und auch die Aufmerksamkeitsdefizitstörung (ohne Hyperaktivität) sind echte Krankheitsbilder, die sich aber bei Kindern häufig schon im Vorschulalter bemerkbar machen, was bei Maria laut Anamnesegespräch nicht der Fall war. Bei ADHS-Kindern beschränkt sich aber der Zustand nicht nur auf das Schreiben und Lesen, sondern er ist ein fester Bestandteil des täglichen Lebens. Diese Kinder benötigen auch manchmal eine medikamentöse Unterstützung, damit das Leben erträglicher wird. Unglücklicherweise sind aber die Symptome von Kindern mit AD(H)S und Kindern, die „nur" eine Legasthenie haben, leicht zu verwechseln und man muss ein ausreichendes Hintergrundwissen zu beiden Themen haben, um eine korrekte Diagnose zu stellen.

Leider hatten Gespräche des Spezialisten mit Marias Klassenlehrerin nicht gefruchtet. Diese war für Erklärungen nicht offen und vertrat die Meinung, dass Maria gestört wäre. Die Mutter wusste einen Ausweg: Sie meldete das Kind an der Adresse der Großmutter an, so konnte die Schule gewechselt werden.

Der neue Klassenlehrer war zum Glück nicht nur gut über die Thematik der Legasthenie informiert und damit offen für Marias Probleme, er gab ihr auch die Zeit, die sie benötigte, um den Lernstoff auf ihre Art und Weise aufzuholen. Gemeinsam mit der Unterstützung von ihrem Umfeld schaffte Maria es sogar ins Gymnasium. Zurzeit besucht sie die Oberstufe. Maria und ihre Mutter haben noch immer Kontakt zum Lernspezialisten. Allen ist klar, dass die gesamte Sache für Maria auch anders hätte ausgehen können, und sie sind dankbar dafür, dass sie sich seinerzeit nicht beirren ließen und den richtigen Weg beschritten haben.

LERNHEMMNISSE DURCH EIN VERÄNDERTES UMFELD

In der Praxis eines außerschulischen Lernspezialisten kam es zur Begegnung mit einer Mutter und deren Sohn Tyler. Die gesamte Familie, Mutter, Vater, Sohn und Tochter, waren aus den USA nach Deutschland gezogen, weil der Vater in einer amerikanischen Firma, die in Deutschland auch eine Niederlassung hatte, eine neue Arbeitsstelle bekommen hatte.

Tyler wurde in einer deutschsprachigen Schule in der zweiten Schulstufe eingeschult, die er zuvor allerdings schon in den USA absolviert hatte. Die Idee dahinter war, dass er in der zweiten Schulstufe doch mitkommen sollte. Tatsache war aber, dass er zuerst Deutsch lernen musste, was natürlich kein leichtes Unterfangen war. Seine Schwester war mit ihren drei Jahren noch zu jung für den Kindergarten, weshalb sie vorerst zuhause bei der Mutter verblieb.

Nach einigen Wochen wurde die Mutter, die selbst nur schlecht die deutsche Sprache beherrschte, in die Schule gebeten. Man erklärte ihr, dass Tyler fast den gesamten Schultag teilnahmslos wäre und dem Unterricht wenig bis gar nicht folgte. Lediglich am Malen und beim Turnunterricht zeigte er Interesse. Die Mutter war verwundert, weil Tyler ihr immer wieder neue deutsche Wörter und auch Sätze beibrachte. So hatte sie nicht vermutet, dass er sich in der Schule nicht bemühen würde.

Es wurde der Mutter klargemacht, dass sich die gesamte Situation ändern müsste, weil es andernfalls zu keinem positiven Schulabschluss kommen würde. Man fühlte sich von der Schule aus nicht imstande, Tyler so weit zu bringen, dass er am Unterricht aktiv teilnehmen könnte. Man riet der Mutter, sich mit einem Pädagogen zu beraten, der außerschulisch arbeitete, was die Mutter auch umgehend tat.

Da der Spezialist die englische Sprache ausreichend beherrschte, konnte er im Gespräch bald herausfinden, was in der Schule und mit Tyler geschehen war. Das Kind war durch die gesamte Veränderung der Lebensumstände der Familie in eine Situation geraten, die für ihn keinesfalls angenehm war. Glücklicherweise hatte Tyler sofort das Gefühl, dass der Lernspezialist ihm helfen wollte, und war sehr kooperativ. Er bemühte sich nach seinen Aussagen sehr, mit den Kindern in seiner Klasse zu sprechen, jedoch hatte er einige Male die Kinder nicht richtig verstanden, weshalb diese sich dann über ihn lustig gemacht hatten. Sie nannten ihn auch nicht bei seinem Namen Tyler, sondern Ami, was ihn auch sehr störte.

Durch diese Schulsituation, anscheinend durch das Nichteingreifen der Lehrer verschärft, kam es bei Tyler zu einem Lernhemmnis. Der Begriff bedeutet, dass ein Lernender mit seiner Lernumgebung in keine ausreichende Interaktion treten kann. Diese Hemmung ist jedoch nicht als Lernstörung zu werten, da sie keinesfalls pathologisch ist. Lernhemmnisse sind eher als gesellschaftliche Problematik zu sehen.

Für den Spezialisten war klar, dass man die schulische Situation grundlegend ändern musste, und dabei benötigte die amerikanische Familie die Hilfe des Spezialisten, aber auch die der Schulverantwortlichen. Vom Lernspezialisten wurde ein sehr erfolgreiches Gespräch mit der Schulleitung und dem Klassenlehrer geführt und auch ein Plan entwickelt, wie man Tyler ausreichend unterstützen könnte. Es war zu bemerken, dass sich der Klassenlehrer definitiv überfordert fühlte, Tyler die deutsche Sprache beizubringen und auch noch den laufenden Lernstoff, was verständlich war, wenn man die Umstände in der Klassengemeinschaft kannte.

Die Familie war auch damit einverstanden, dass Tyler durch den Spezialisten eine den Schulablauf unterstützende Hilfe bekommen sollte, die den Schwerpunkt im Erlernen der deutschen Sprache hatte. Tyler war sogar ein sehr eifriger und begabter Schüler und freute sich bald über die Erfolge, die er nicht nur im außerschulischen Unterricht, sondern auch in der Schule hatte. Dies steigerte seine Motivation und von dem einst bestehenden Lernhemmnis war bald gar nichts mehr zu bemerken. Sogar seine Mitschüler änderten ihr Verhalten ihm gegenüber und er fand auch einen Freund in seiner Klasse, der schon auf Urlaub in den USA war, wo es ihm sehr gut gefallen hatte. So hatten die beiden einen interessanten Gesprächsstoff.

Sind Schüler nicht motiviert, so kann es auch zu keinen Erfolgen in der Schule kommen, denn Motivationsmangel und Schulerfolge schließen einander aus. Heute kommt es öfter als früher vor, dass Schüler wenig bis gar nicht motiviert sind, in der Schule gute Leistungen zu erbringen. Dafür kann es natürlich viele Gründe geben. Wenn ein Motivationsmangel oder auch eine Gleichgültigkeit in Bezug auf die Schule gegeben ist, muss genau eruiert werden, warum es so weit gekommen ist, damit erfolgreiche Gegenmaßnahmen ergriffen werden können.

In diesem konkreten Fall handelte es sich um einen Schüler der sechsten Schulstufe namens Rolf. Im Vorfeld war der Schulalltag stets nur von eigentlich wenig erwähnenswerten Zwischenfällen geprägt gewesen. Doch seit Beginn der sechsten Schulstufe hatte sich dies geändert. Die Eltern waren ratlos, auch die Lehrer hatten dafür keine Erklärungen.

Wurde Rolf darauf angesprochen, dass er sich doch in der Schule mehr bemühen sollte, reagierte er ablehnend und verneinte, dass irgendetwas in der Schule nicht stimmen würde. Später stellte sich heraus, dass ihm gar nicht bewusst war, dass er unter einem sogenannten Motivationsmangel litt. Erst als drei Lehrer ihm und den Eltern mitteilten, dass er mit seinen bisherigen Leistungen das Klassenziel vermutlich nicht erreichen würde, war er bereit, Änderungen herbeizuführen.

Mit Hilfe eines Lernspezialisten, der außerschulisch half, wurde schließlich festgestellt, dass sich bei Rolf die Veränderung vom Knaben zum Mann so auswirkte, dass er, wohl mehr unbewusst als bewusst, für die Schule so gar keine Motivation mehr verspürte und die schulischen Aufgaben als Belastung empfand. Die Erkenntnis, dass er tatsächlich einen Motivationsmangel hatte, brachte ihm erst das Gespräch mit dem Lernspezialisten, der ihm explizit half, sich selbst zu erkennen und damit auch sich selbst zu helfen. Diese Art von Pubertätssymptom kommt gar nicht selten vor, je nach Stärke der Ausprägung wird es von der Umgebung wahrgenommen oder auch nicht.

Die folgenden wöchentlichen spezifischen Förderstunden, die Rolf nun besuchte, waren zum einen geprägt von Gesprächen zwischen ihm und dem Lernspezialisten, um die Lernmotivation zu steigern, und zum anderen vom gezielten Nachholen des Schulstoffes, da durch den Motivationsmangel Wissenslücken entstanden waren. Ein besonderer Schwerpunkt dieser Gespräche war, bei Rolf die Einsicht zu erreichen, dass man in der Schule entsprechende Leistungen erbringen musste, um erfolgreich zu sein. Diese realistische Sichtweise geht bei manchen Jugendlichen, die sich in der Pubertät befinden, tatsächlich leider verloren. Rolf wurde immer wieder dazu ermutigt, über seine Sicht der Dinge, die in der Schule passierten, zu sprechen und sich auch manchmal über Vorkommnisse berechtigterweise zu beschweren. Mit der Zeit wurden Rolf und der Lernspezialist ein eingespieltes Team und die Arbeit ging gut voran, wenn auch nicht zur vollkommenen Zufriedenheit der Lehrer. Es dauerte noch einige Zeit, bis Rolf so weit war, sich selbstständig motiviert den täglichen Anforderungen in der Schule zu stellen.

Schon in der ersten Schulstufe zeigten sich bei Thomas Probleme beim Lesen und Schreiben. Seine Mutter, selbst eine Lehrerin, war sehr bemüht, ihm eine individuelle Hilfe angedeihen zu lassen, und so erlernte Thomas das Schreiben und Lesen, wenn auch langsamer als seine Mitschüler. Beim Rechnen gab es nie Probleme.

Thomas hatte stets die Hundedame Daisy bei sich, wenn er für die Schule arbeitete. Daisy kam kurz vor Thomas' Geburt in die Familie, so wuchs er mit ihr auf. Sie war immer in seiner Nähe und für ihn da, sie hörte aufmerksam zu, wenn er ihr etwas vorlas. Die beiden waren, wie man so sagt, ein Herz und eine Seele. Auch sonst umsorgte Thomas Daisy und war auch dafür verantwortlich, dass sie das Fressen regelmäßig bekam.

Als Thomas in der sechsten Schulstufe war, wurde Daisy sehr krank und starb bald darauf. Mit diesem Ereignis änderte sich das Verhalten von Thomas. Die Eltern waren der Meinung, dass sich die Trauer um Daisy bald verringern würde. Doch dies geschah leider nicht. Seine Leistungen in der Schule wurden schlechter, so suchte man einen Spezialisten auf, der Thomas außerschulisch unterstützen sollte. Auch eine psychologische Hilfe war angedacht, sie fand jedoch nicht statt.

Die Problematik lag klar auf der Hand und so versuchte der Spezialist, mit Thomas nicht nur den laufenden Schulstoff zu bewältigen, sondern er führte mit ihm Gespräche über Daisy und bezog das Thema in den Unterricht ein. Diese Routine war sehr hilfreich. Nach und nach wurde es für Thomas sichtlich leichter, darüber zu sprechen. Der Spezialist wusste bald sehr viel über den Hund, obwohl er ihn nie kennengelernt hatte. Sein Interesse half Thomas, sich mit dem Thema auseinanderzusetzen und damit den Verlust leichter zu bewältigen. Die Schulleistungen verbesserten sich wieder, wenn auch nur langsam.

Schon am Beginn der Lernförderung hatte der Spezialist den Eltern empfohlen, doch wieder einen Hund in die Familie aufzunehmen. Dies wurde jedoch abgelehnt und damit begründet, dass man nicht mehr in diese Situation kommen wollte, die Thomas nun so sehr zusetzte.

Eines Tages kam Thomas komplett aufgelöst in die Förderstunde. Er erzählte, dass er bei seinem Tierheimbesuch eine Hündin kennengelernt hatte, die Daisy sehr ähnlich war. Fortan besuchte er die Hundedame regelmäßig und durfte sogar mit ihr spazieren gehen. Nach wie vor wollten die Eltern aber nicht zulassen, dass Thomas eine neue Hündin bekam. Er bat den Spezialisten um ein Gespräch mit seinen Eltern, denn er kannte natürlich dessen Meinung dazu. Es fand tatsächlich statt und Thomas und der Spezialist konnten die Eltern überzeugen.

Freudig brachte Thomas seine neue Hündin aus dem Tierheim nachhause. Seine Freude war unbeschreiblich. Er durfte die Hundedame auch in die Lernförderung mitnehmen. Sie hatte ein sehr sanftes Wesen und folgte geduldig dem Stundeninhalt. Sie hatte noch keinen Namen, denn Thomas war sich nicht sicher, wie er sie nennen sollte. So war sie vorläufig nur „der Hund". Der Spezialist half schließlich dabei, für den Hund einen Namen zu finden. Er brachte einige Vorschläge und regte auch Thomas dazu an, sich einen geeigneten Namen zu überlegen. Schließlich kam Thomas die Idee, die Hundedame in Anlehnung an die Walt-Disney-Figur „Minnie" zu nennen. Minnie ist ja eine Freundin von Daisy und dies passte Thomas gut.

Es ist immer wieder erstaunlich, welchen Einfluss Tiere auch auf das Lernverhalten von Kindern haben. Auch wenn es in diesem Fall kein beabsichtigter tiergestützter Unterricht war, so hatten doch zwei Tiere einen großen Anteil am Lernerfolg von Thomas.

RICHTIGE ERNÄHRUNG FÜR EIN PROBLEMLOSES LERNEN

Peter, der die vierte Schulstufe besuchte, war ein sehr übergewichtiges Kind. Seine Mutter, die ihn in die spezifische Lernförderung brachte, beklagte sich darüber, dass Peter nach der Schule so geschafft wäre, dass er zum Lernen am Nachmittag gar keine Lust mehr hätte und es täglich zu unschönen Szenen bei den Hausaufgaben käme. Nicht einmal ins Freie wollte er gehen, um sich mit anderen Kindern zu treffen und etwas zu unternehmen. Am liebsten würde er bis zum Schlafengehen vor dem Fernseher liegen und sich berieseln lassen.

Im Gespräch mit der Mutter erfuhr der Spezialist, dass dieses Verhalten nicht nur ihr den letzten Nerv raubte, sondern auch die gesamte Familie darunter litt, so wusste sie nicht, wie sie sich weiter verhalten sollte. Der Vater war selten zuhause, weil er sehr viel arbeitete, seine ältere Schwester, mitten in der

Pubertät, empfand ihn als Belastung. Sie hatte mit dem Gewicht kein Problem und auch keinerlei Schwierigkeiten in der Schule. Auch wenn der Vater zuhause war, änderte dies wenig an der Gesamtsituation, denn dann waren zumeist so viele Dinge im Haus und im Garten zu erledigen, dass für den Sohn wenig Zeit blieb. Dem Vater bei den Haus- und Gartenarbeiten zu helfen, lehnte Peter mit der Begründung ab, dass er müde wäre.

Die Schulsituation verschärfte sich zusehends und der Klassenlehrer, der von der Mutter als sehr guter Pädagoge beschrieben wurde, legte der Mutter nahe, eine außerschulische Hilfe zu organisieren, da Peter andernfalls nicht in eine höhere Schule würde aufsteigen können. Der Klassenlehrer beschrieb Peters Verhalten in der Schule als komplett lustlos. Er schloss jedoch aus, dass es mit den Mitschülern oder auch mit ihm persönlich zu tun haben könnte, denn Peter war trotz allem einer seiner Lieblingsschüler und in der Klasse auch beliebt.

Auf die Ernährung angesprochen erzählte die Mutter, dass Peter süße Speisen und Brot bevorzugte und kein Obst und Gemüse oder auch Fleisch essen würde. Diese Information erhärtete den Verdacht, dass Peter durch eine einseitige Ernährung und wenig Bewegung nicht nur übergewichtig geworden war, sondern auch eine Lernunlust entwickelte, weil das Lernen für ihn mühsam wurde.

All dies wies darauf hin, dass bei Peter wahrscheinlich ein gesundheitliches Problem vorhanden war, und der Spezialist empfahl der Mutter, Peter durchuntersuchen zu lassen.

Gleichzeitig wurde ein individueller Förderplan erstellt, der auch motivierende Unterrichtsphasen enthalten sollte.

Der Arzt bestätigte schließlich den Verdacht der falschen Ernährung und die Notwendigkeit einer Änderung. Es wurde ein Plan für eine spezielle Ernährung und sportliche Aktivitäten erstellt. Gemeinsam mit der Mutter konnte der Spezialist schließlich Peter davon überzeugen, dass er ernstliche gesundheitliche Probleme bekommen würde, wenn er sein Essverhalten nicht umgehend umstellte.

Die gemeinsamen Förderstunden dienten dem Aufholen des Lernstoffes, aber auch Gespräche über die Änderungen in Peters Leben wurden geführt. Es dauerte zwar einige Zeit, und es war schwere Arbeit für alle Beteiligten, doch dann merkte Peter die Vorteile eines geringeren Gewichtes, weil man sich einfach besser bewegen konnte. Bald hatte er auch damit zu leben gelernt, nur sehr, sehr selten seine geliebten Süßspeisen zu konsumieren.

Es gelang der Übertritt in eine höhere Schule. Peter hatte von dem Spezialisten einen sehr guten Rückhalt bekommen und wollte auch in der nächsten Zeit nicht darauf verzichten. So kam es noch zu einer jahrelangen Zusammenarbeit. Peter hatte sehr gute Erfolge in der Schule und entdeckte irgendwann auch seine Leidenschaft für das Radfahren. Bald erinnerte den sportlichen und schlanken Peter nichts mehr an sehr mühsame vergangene Tage.

Immer wieder findet man auch eine Mitursache für Lernprobleme in der falschen Ernährung von Kindern. Spezialisten, die auf pädagogisch-didaktischer Ebene helfen, sollten diese mögliche Ursache immer im Auge behalten und auch versuchen, mit zielführenden Ratschlägen zu helfen.

Die Mutter erzählte beim Anamnesegespräch, dass Tim schon immer ein „schwieriges" Kind gewesen wäre. Näheres dazu teilte sie jedoch nicht mit. Er ging in die erste Schulstufe und kam dort mit den Gegebenheiten gar nicht zurecht. Er lief nicht nur unaufgefordert durch die Klasse, sondern konnte auch nicht für längere Zeit dem Unterricht folgen. Mehrmals gab es schon Gespräche mit der Klassenlehrerin, aber konkrete Vorschläge hatte sie erst vor einigen Tagen gemacht, indem sie der Mutter nahegelegt hatte, eine außerschulische Hilfe für Tim in Erwägung zu ziehen.

Nachdem sich der Spezialist mit dem Kind auseinandergesetzt hatte, wurde klar, dass Tim zwar dringend auch auf pädagogisch-didaktischer Ebene eine spezifische Lernunterstützung benötigte, dass aber in diesem Fall ein Psychologe, Psychotherapeut oder sogar ein Psychiater hinzugezogen werden sollte, um eine grundlegende Verbesserung zu bewirken.

Die Mutter zeigte jedoch keinerlei Bereitschaft, sich mit den Möglichkeiten einer weiteren Hilfe durch einen Angehörigen eines Gesundheitsberufes anzufreunden. Sie erzählte, sie hätte vor längerer Zeit schlechte Erfahrungen gemacht, als sie auf dieser Ebene Hilfe für Tim gesucht hatte. Sie meinte, dass

Tims Auffälligkeiten lediglich damit zusammenhingen, dass er mit der Unterrichtsmethode in der Schule überfordert wäre.

Der Spezialist erklärte ausführlich und eindringlich den Unterschied zwischen Symptomen von echten Krankheitsbildern und ähnlichen Symptomen, die aber keine echten Krankheitsbilder wären. Diese Kinder wären lediglich unruhig und unaufmerksam beim Schreiben, Lesen und/oder Rechnen, aber das träfe auf Tim nicht zu.

Laut weiteren genauen Angaben der Mutter fiel das Kind nicht nur in der Schule auf, sondern auch beim Spielen, wo es wenig Ruhe und Ausdauer zeigte. Da die Mutter nun auch ausführlicher beschrieb, dass die Symptome auch schon vor der Schulzeit aufgetreten wären, erhärtete sich der Verdacht, dass Tim nicht nur auf pädagogisch-didaktischer Ebene Hilfe benötigte, sondern auch eine Therapie durch einen Spezialisten, damit seine Verhaltensweisen geändert werden könnten. Die Mutter sah schließlich ein, dass die alleinige Hilfe auf pädagogisch-didaktischer Ebene nicht ausreichen würde, Tims Zustand zu verbessern, weshalb sie einlenkte. Ein befreundeter Psychologe des Spezialisten, der gleichzeitig auch Pädagoge war, erklärte sich bereit, Tim zu helfen.

Durch die gute Zusammenarbeit der beiden Spezialisten und auch durch die Mithilfe der Mutter, die mit dem Kind Übungen nach Anleitung machte, begann sich Tims Zustand, auch ohne die Einnahme von Medikamenten, langsam zu verbessern.

Besonderer Wert wurde auf Übungen gelegt, die zur Entspannung beitrugen, wie Atemübungen oder den Körper zu spüren, sowie auf Übungen, die mittels Gedankenreisen zu einer inneren Ausgeglichenheit verhalfen. Auch die

Aufmerksamkeit wurde bewusst trainiert, damit Tim lernte, sich auf gewisse Tätigkeiten bewusst hinzulenken. Die Übungen wurden über den Tag verteilt durchgeführt. Es wurde auch gemeinsam ein Plan zur Freizeitbeschäftigung gemacht. Besonderen Spaß hatte Tim bei Rollenspielen, beim Arbeiten mit Knetmasse war Tim freudig aufmerksam und ruhig.

Es dauerte einige Zeit, bis Tim dem Unterricht besser folgen konnte, sodass sich die Klassenlehrerin lobend äußerte. Sie war überhaupt eine große Unterstützung für Tim und das außerschulische Team.

Es ist stets ein glücklicher Umstand, wenn schulische und außerschulische Kräfte solche Kinder unterstützen. Dabei ist es notwendig, dass von allen Seiten Akzeptanz und Achtung kommen, basierend vor allem auf der gemeinsamen Idee, dem Kind zu helfen.

SOZIAL-EMOTIONALE PROBLEME

Immer häufiger werden Spezialisten, die auf pädagogisch-didaktischer Ebene helfen, mit sehr unterschiedlichen Problemen in der frühen Schulzeit konfrontiert.

So suchte eine Mutter für ihren siebenjährigen Sohn Hans Hilfe. Er besuchte die erste Schulstufe und jeden Tag in der Früh kam es zu herzzerreißenden Szenen. Er weigerte sich, aus dem Auto auszusteigen, mit der Begründung, Angst davor zu haben, was ihn in der Schule erwartete. Er beschwerte sich darüber, dass er keine Freunde in der Schule hätte und keiner mit ihm reden wollte, auch die Lehrerin wäre gar nicht freundlich zu ihm. Die Folge war, dass Hans sich immer mehr abkapselte und natürlich auch die Schulerfolge darunter litten.

Die Mutter erzählte, die Lehrerin wäre der Meinung, dass Hans Probleme mit seiner sozial-emotionalen Kompetenz hätte und deshalb in der Schule kaum Kontakte zu den anderen Kindern hätte. Der Grund dafür läge in der Vorschulzeit, während der die Familie häufige Ortswechsel vorgenommen hatte, die der beruflichen Tätigkeit des Vaters geschuldet waren. So konnte Hans kaum längerfristige Kontakte mit anderen Kindern knüpfen. Er besuchte in der Vorschulzeit keine Institution, er hatte auch keine Geschwister.

Der frühe Kontakt mit Gleichaltrigen ist aber ein wesentlicher Schritt, damit sich eine gesunde sozial-emotionale Kompetenz entwickeln kann. Das Fehlen von sozialen und emotionalen Kompetenzen kann verschiedene Probleme zur Folge haben, denn Erstere sind für ein gedeihliches Zusammenleben von großer Bedeutung. Die Kommunikation stellt eine soziale Fähigkeit dar, genauso wie z.B. das Denken oder die Bewegung.

Der Spezialist erklärte der Mutter sehr ausführlich und mit Beispielen, dass ein Kind eigentlich im Alltag so nebenbei soziale und auch emotionale Kompetenzen entwickelt, dazu wären aber außer der Mutter auch andere Personen notwendig.

Soziales Verhalten wird in der Interaktion mit anderen Menschen erlernt, Emotionen sind dagegen auch angeboren. Hunger, Langeweile, Kältegefühl oder Schmerz werden schon von Säuglingen ausgedrückt, das Überleben wird so gewährleistet. Der Grundstein für eine funktionierende sozial-emotionale Entwicklung wird in den ersten sechs Lebensjahren gelegt.

In einem Gespräch mit der Mutter und der Lehrerin, die sich sehr offen und später auch sehr hilfreich verhielt, wurde ein Förderplan erstellt, um Hans zu helfen. Neben einer gezielten außerschulischen Unterstützung im Schreiben, Lesen und Rechnen sollte auch in Form von spielerischen Übungen erlernt werden, wie man mit den eigenen Emotionen umgeht und Emotionen bei anderen erkennen kann. Dazu wurden z.b. Gespräche mit Stofftieren geführt, Rollenspiele gemacht, sprachliche und nonverbale Signale kennengelernt, Sinneswahrnehmungs- und Körpererfahrungen gemacht, Problemlösungsstrategien kennengelernt und Selbstvertrauen und Selbstwertgefühl gestärkt, um soziale und emotionale Kompetenzen zu erweitern. Auch die Mutter wurde angeleitet und auch die Lehrerin war in der Schule eine große Hilfe. Sie verstand nun, warum Hans in diese Situation gekommen war, und versuchte vor allem durch die Mithilfe der Mitschüler, dem Kind zu helfen.

Mit der Zeit entwickelte Hans Freundschaften in der Klasse und war auch nicht mehr so verschlossen. Eine große Stütze war der Spezialist, den er weiterhin einmal in der Woche aufsuchte. Zu ihm hatte Hans großes Vertrauen, weshalb er sich immer wieder auf dieses wöchentliche Zusammentreffen freute. Die Mutter organisierte regelmäßig Spielnachmittage, die auch dazu beitrugen, dass Hans bald einen besonderen Status in der Klassengemeinschaft hatte. Bald kristallisierte sich auch heraus, dass Hans einen Freund in der Klasse hatte, mit dem er auch öfter die Hausaufgaben bei sich zuhause oder in dessen Zuhause erledigte.

Eine zeitweise Übelkeit, Herzklopfen, Schwindel, Schweißausbrüche, sogar auch einen unruhigen Schlaf, Alpträume etc., diese Symptome hatte Tina stets, wenn eine Schularbeit oder Prüfung in Mathematik knapp bevorstand. Sie besuchte die achte Schulstufe und mit den Jahren war dies eher schlechter als besser geworden. Sie war oft sehr verzweifelt und fürchtete sich vor jeder Prüfung. Bei Matheprüfungen, so ihre Worte, erzielte sie eigentlich immer schlechtere Ergebnisse, als sie erwartet hatte. In anderen Fächern beschrieb sie zwar ein mulmiges Gefühl, aber die oben beschriebenen Symptome traten nicht auf. Grundsätzlich war sie eine durchschnittliche Schülerin, bemüht und freundlich.

Im Gespräch mit einer Spezialistin, die ihr im Fach Mathematik helfen sollte, erzählte sie die Erlebnisse, die sie schon vielfach durchgemacht hatte. Die Spezialistin wollte Tina auch im Bereich ihrer partiellen Prüfungsangst in Mathematik helfen. Sie konnte sich nur zu gut daran erinnern, dass sie selbst ähnliche Zustände hatte, wenn Schularbeiten oder Prüfungen in Latein bevorstanden. Sie erinnerte sich aber auch daran, dass sie zwar für den Gegenstand Latein immer viel gelernt hatte, doch musste sie sich ehrlich eingestehen, dass der letzte Schliff, wie ihr Lateinlehrer zu sagen pflegte, tatsächlich fehlte. Dieser Umstand hatte bei ihr nicht nur Angstzustände hervorgerufen, sondern auch den großen Erfolg in Form einer sehr guten Note verhindert.

Diese Überlegungen spielten bei Tinas Problem mit der Mathematik auch eine Rolle. Es zeigte sich tatsächlich, dass

Tina zwar theoretisch eine Rechenart, die bei der Schularbeit oder bei einer Prüfung anzuwenden war, beherrschte, für das korrekte Durchrechnen bis zum Ende wäre jedoch wesentlich mehr Übung notwendig gewesen. Dies bemerkte die Spezialistin bei jeder Art von Rechnung.

So wurde in einem erklärenden Gespräch auch auf diese Tatsache hingewiesen und auf die Möglichkeit, dass dies auch die Ursache für Tinas Ängste sein könnte. Sie zeigte sich durchaus verständig, gab aber kleinlaut zu, dass sie sich nicht dazu überwinden könnte, mehr im Gegenstand Mathematik zu üben. Sie sagte geradeheraus, dass sie das Thema überhaupt nicht interessierte, ihr wäre aber klar, dass man in der Schule auch Mathematik ausreichend lernen sollte. Die Spezialistin gab ihr auch zu bedenken, dass man grundsätzliche mathematische Kenntnisse durchaus auch für den Lebensalltag benötigte, um nicht auf andere Menschen angewiesen zu sein, die einem hilfreich zur Seite stünden.

In der spezifischen Lernförderung wurde Tina nun in erster Linie im Bereich der Mathematik geholfen. In der Lernförderung wurden Prioritäten gesetzt, z.B. eine gesamte Rechnung in einem Zug durchzurechnen und sich durch nichts ablenken zu lassen. Sollte Tina den Faden verlieren, wurde sie dazu angehalten, wieder am Anfang zu beginnen.

Ein weiterer Schwerpunkt wurde aber auch in der Bewältigung der Prüfungsangst gesetzt. Tina musste sich gedanklich mit der Tatsache auseinandersetzen, dass eine Prüfungsangst im Gegenstand Mathematik vorhanden war. Tina sollte erkennen, dass sich dieser Umstand nur mit ihrem aktiven Zutun verbessern konnte. Sie lernte bestimmte Atemübungen, um den Stress zu beseitigen und ihre Muskeln zu entspannen. Sie lernte, ihre Aufmerksamkeit willentlich zu steuern, was auch in jeder anderen Prüfungssituation sehr hilfreich war.

Damit aber der umfassende Erfolg sich einstellen konnte, wurde Tina dazu motiviert, wesentlich mehr Zeit in die Rechenfertigkeit zu investieren, was sie schließlich auch tat.

Schlussendlich traten bei Mathematikprüfungen keinerlei Ängste mehr auf und auch die Erfolge stellten sich ein. Tina hatte zwar sehr viel Zeit in den Gegenstand Mathematik investiert, doch sie konnte dafür die Angstgefühle loswerden, was eine weitreichende Erleichterung darstellte.

LERNSTRESS DURCH ÜBERFORDERUNG

Jack besuchte nach der Reifeprüfung, die er mit viel Stress und Aufwand bestanden hatte, die Universität für Rechtswissenschaften. Da sein Vater ein erfolgreicher Anwalt war und auch sein Großvater einer war, hatte man ihm tatsächlich keine andere Wahl gelassen, als auch diesen Berufsweg zu beschreiten.

Obwohl ihn die Thematik grundsätzlich interessierte, war er sich nicht sicher, ob er diesen sehr umfangreichen Studienweg würde bewältigen können, der mit extrem viel Lesearbeit verbunden war. Lesen und das Gelesene zu verstehen war für ihn sehr mühsam. Er hatte zwar eine sehr gute Merkfähigkeit und konnte sich alles, was er hörte, sehr gut und nachhaltig merken, doch das Lesevermögen und das Leseverständnis waren seine Schwachpunkte. Er wurde aber nie als

Legastheniker diagnostiziert und hatte sich im Fach Deutsch immer mit Ach und Krach in die nächste Schulstufe durchgekämpft.

Nach zwei Studienjahren und keiner positiv abgeleisteten Prüfung schrillten bei den Eltern die Alarmglocken. Jack war zu diesem Zeitpunkt schon von einem massiven Lernstress betroffen, weil er doch gute Leistungen erbringen wollte, die sich jedoch aufgrund seiner Voraussetzungen nicht einstellen konnten. Er wusste, dass er nicht dumm war, was er sich schon von einigen Lehrern hatte anhören müssen. Dieses Wissen hielt ihn davon ab, in ein seelisches Tief zu geraten.

Eine Fachkraft, die auf pädagogisch-didaktischer Ebene arbeitete, wurde für Jack engagiert. Diese verbrachte täglich mehrere Stunden mit ihm. Es wurde vorrangig versucht, ihm mit speziellen Übungen das sinnerfassende Lesen beizubringen, und er erhielt auch eine sehr gute Unterstützung, indem ihm die Skripten vorgelesen wurden. Sein Merkvermögen war sehr gut, weshalb man auch zu dieser Maßnahme gegriffen hatte. So verblasste nach und nach die Überforderung, mit der er zwei Jahre gelebt hatte.

Bald fühlte er sich auch sicher genug und trat zu Prüfungen an, die fast alle bestanden wurden. Nach vielen Monaten harter Arbeit gelang es ihm auch, das Gelesene zu verstehen, was einen weiteren Fortschritt bedeutete.

Mental war er aber noch nicht bereit, auf die pädagogisch-didaktische Hilfe zu verzichten. So vergingen noch zwei weitere Jahre seiner Studienzeit mit entsprechender Unterstützung, die auch weitere positive Ergebnisse in Form von bestandenen Prüfungen brachte.

Lediglich drei Prüfungen waren dann noch zu absolvieren, dann sollte er seine Studienzeit hinter sich lassen, um in die Kanzlei seines Vaters einzutreten. Er schaffte diese drei Prüfungen schließlich ohne Unterstützung und dies freute sowohl ihn selbst als auch sein gesamtes Umfeld immens.

FEHLENDE LERNSTRATEGIEN

Damit das Lernen effektiv und erfolgreich gelingen kann, sollten Kindern schon im Grundschulunterricht geeignete Lernstrategien vermittelt werden. Dabei ist zu beachten, dass Lernen ein sehr komplexer Vorgang ist und dass es wesentlich von der lernenden Person abhängt, wie Informationen am besten aufgenommen und behalten werden können, denn lernen kann jeder Mensch nur für sich selbst.

Mit den Worten „Mein Sohn muss das Lernen erlernen!" stellte eine Mutter ihren Sohn einer Spezialistin vor, die auf pädagogisch-didaktischer Ebene arbeitete. Fred war schon in der siebenten Schulstufe und konnte laut Meinung seiner Mutter nicht selbstständig effizient lernen. Sie ersuchte die Spezialistin, Fred dabei behilflich zu sein und ihm zu einem Plan zu verhelfen, wie er nachhaltig Inhalte erlernen und diese auch behalten könnte. Er saß zwar stundenlag vor den Schulbüchern, aber wirklich zufriedenstellende Ergebnisse kamen dabei nicht heraus.

Bei dem Gespräch kam aber klar zutage, dass Fred in den ersten Schuljahren wegen seiner guten Merkfähigkeit die Lerninhalte umgehend auswendig abspeicherte. Doch mit jedem Schuljahr wurde der Lernumfang größer und damit reichte die Strategie, die sich Fred automatisch zurechtgelegt hatte, nämlich alles auswendig zu lernen, nicht mehr aus.

Die Spezialistin erstellte für Fred einen individuellen Förderplan, der die Gegenstände beinhaltete, in denen Fred auch fachliche Hilfe benötigte. Der Schwerpunkt wurde jedoch darauf gelegt, bei der Arbeit an den Lerninhalten die für ihn geeigneten Lernstrategien, auch Lernmethoden oder Lerntechniken genannt, herauszufinden. Die Arbeit begann und die Spezialistin konnte Fred sehr gut motivieren, sodass eine gute und positive Atmosphäre entstand.

Zuerst wurde an der Selbstständigkeit gearbeitet, das Interesse am produktiven Selbstlernen sollte geweckt werden. Fred war immer gewohnt, dass eine Person der Familie, die Mutter, der Vater, aber auch der Großvater oder die Großmutter, die im gleichen Haus wohnten, zur Stelle waren, um ihn zu unterstützen. Es ist grundsätzlich positiv, wenn Menschen im Umfeld eines Kindes auch Zeit für dieses aufbringen, lediglich der Umfang ist entscheidend.

Fred hatte vermutlich zu wenig Zeit, sich mit sich selbst zu beschäftigen bzw. alleine zu spielen. Dies ist aber für ein späteres selbstständiges Lernen in der Schule eine wichtige Voraussetzung. Jeder Schüler muss letztendlich in höheren Schulstufen selbstständig Lernstrategien entwickeln, damit er die Lernzeit optimal nützt und sich damit selbst hilft.

Die Überleitung zum Thema Effizienz des Lernens gelang. Unzählige Stunden, die Fred in seinem Zimmer mit dem „Lernen" verbracht hatte, sollten der Vergangenheit angehören. Die Spezialistin zeigte Fred, wie man z.B.

Informationen zum Lernthema selbstständig sammeln und so aufbereiten könnte, dass ein optimales Lernergebnis in entsprechender Zeit erzielt werden könnte.

Immer war die Spezialistin auch gerne bereit, mit Fred alle Fragen zum Thema Lernen zu besprechen und auch anschauliche Beispiele zu geben. So konnte Fred bald erkennen, dass er durch gezieltes Lernen dann in der Schule größere Erfolge sogar in kürzerer Zeit erzielen konnte. Das Lernen machte ihm wesentlich mehr Spaß, weil er sah, dass seine Lernstrategien sich so positiv auf seine Leistungen auswirkten.

Dennoch verbrachte er noch viele Fördereinheiten bei der Lernspezialistin, denn sie wusste in jeder Situation Rat und stand Fred auch immer wieder mit angemessenem Lob zur Seite.

UNBEWUSSTE LERNVERWEIGERUNG

Lernspezialisten, die schon längere Zeit im außerschulischen Bereich tätig sind, können so manch interessante Geschichte erzählen. Leider haben aber nicht alle Geschichten ein gutes Ende. Auch wenn der Lernspezialist alle ihm möglichen Register zieht, stellt sich in einigen Fällen doch nicht der gewünschte Erfolg ein.

Anna war augenscheinlich ein sehr nettes und wohlerzogenes Mädchen, das die achte Schulstufe besuchte. Ihre Stiefmutter brachte sie zur Lernspezialistin mit der Bitte um Unterstützung. Grundsätzlich war Anna keine schlechte

Schülerin, nur der „letzte Schliff" gelang ihr selbst nicht, so die Worte der Stiefmutter.

Die Spezialistin machte mit Anna einen Förderplan. Diese bemühte sich in der Förderstunde stets und man hatte auch den Eindruck, dass ihr der Unterricht Freude bereitete. Allerdings kam es zu keinen wesentlichen Verbesserungen in den schulischen Leistungen. Für diesen Umstand fand die Spezialistin keine plausible Erklärung, denn Anna bemühte sich redlich und verfügte auch über ein sehr gutes Wissen in den einzelnen Lernbereichen. Auch die unterschiedlichen Herangehensweisen an die Lernthemen, welche die Spezialistin der Schülerin anbot, änderten daran nichts.

Auch Gespräche brachten keine maßgeblichen Fortschritte oder Erkenntnisse. Anna gab sich stets bemüht und versicherte, dass sie alles versuchen würde, ihre Schulleistungen noch zu verbessern. Doch die Spezialistin hatte stets das Gefühl, dass dem Lernerfolg irgendetwas im Wege stand, von dem sie nichts wusste.

Nach einigen Monaten kam die Stiefmutter mit der Frage, wie lange es noch dauern würde, bis sich Anna in der Schule verbessert hätte. Die Spezialistin informierte die Stiefmutter über die Inhalte der Förderstunden und brachte auch ihre Verwunderung zum Ausdruck, dass sich die Verbesserungen nicht schon längst eingestellt hatten. Danach befragt, ob die Stiefmutter eine Antwort darauf hätte, wurde unfreundlich und missmutig verneint.

Doch diese Abwehr ließ den Gedanken bei der Spezialistin aufkommen, dass Annas gesamte Problematik in der Beziehung zur Stiefmutter liegen könnte. Sie fragte Anna danach, doch diese wich ihr aus und beteuerte, dass die Stiefmutter gar nichts damit zu tun hätte.

So vergingen noch einige weitere Monate, Anna kam immer pünktlich zu den Förderstunden und war auch offensichtlich motiviert. Nur an den Schulleistungen änderte sich nichts. Deshalb überlegte sich die Spezialistin auch, Anna nahezulegen, die Zusammenarbeit zu beenden. Schweren Herzens erklärte die Spezialistin Anna, dass sie ihre gemeinsame Arbeit mit ihr beenden wollte, da sie selbst die Anforderung, die von der Stiefmutter gestellt worden war, nicht erfüllen konnte. Erstaunlicherweise nahm Anna diese Ankündigung eher freudig auf. Das hatte die Spezialistin nicht erwartet. So kam Anna noch bis zum Ende des Schuljahres, das unmittelbar bevorstand. Trotzdem blieb die Frage offen, warum die Arbeit mit Anna nicht funktioniert hatte, und dies hinterließ bei der Spezialistin ein ungutes Gefühl. Sie war auch traurig darüber, Anna nicht mehr zu sehen, doch andererseits gab es so viele Anfragen von Eltern, deren Kinder ihre Hilfe dringend benötigten. Es war trotzdem eine schwere Entscheidung, die sie treffen musste, aber manchmal wird man zu einer solchen gezwungen.

Längere Zeit hatte die Spezialistin von Anna nichts mehr gehört, doch nach einigen Jahren traf sie sie zufällig auf dem Weihnachtsmarkt der Stadt. Anna freute sich sichtlich und auch die Spezialistin war sehr erfreut, sie zu treffen. Anna besuchte inzwischen die Universität und lebte alleine in einer kleinen Wohnung. Laut ihren Angaben war sie nun endlich selbstständig und konnte über ihr Leben entscheiden. Sie erzählte auch, dass sie sich auch heute noch gerne an die Förderstunden erinnerte, die sie mit der Spezialistin verbracht hatte. Seinerzeit hätte aber ihre Stiefmutter, die nur gut vor ihrem Vater dastehen wollte, von ihr einen ausgezeichneten Schulerfolg gefordert, diese Forderung wollte Anna aber nicht erfüllen und deshalb hätte sie sich in der Schule absichtlich nicht bemüht. Diesen Verdacht hatte die Spezialistin gehegt, aber nie ausgesprochen, da sie sich nicht vorstellen konnte, dass solch ein Vorgehen von einem vierzehnjährigen Mädchen durchgezogen werden würde. Mit dieser neuen Erkenntnis hatte die Spezialistin einiges dazugelernt.

MANGELNDES SELBSTVERTRAUEN

Selbstvertrauen ist der Glaube an sich selbst. Jeder Mensch, der dies nicht tut, hat ein mangelndes Selbstvertrauen, was besonders bei jungen Menschen, die noch die Schule besuchen, zu einem massiven Problem werden kann.

So erging es Tim, der in der zehnten Schulstufe noch immer von sich behauptete, dass er überflüssig wäre, was er auch schon mehrmals von seinem Umfeld gehört hätte, weil er doch von niemandem tatsächlich gebraucht werden würde und sich sogar selbst als Last empfände und besonders auch mit seiner Schüchternheit zu kämpfen hätte. Seine Schulleistungen waren mittelmäßig, auch dies trug nicht dazu bei, dass sein Selbstvertrauen gestärkt wurde. Seine Eltern waren nicht wirklich hilfreich, weil beide kaum Zeit für ihn hatten und mit Arbeit stets überlastet waren. Tim trat mit der Bitte an seine Eltern heran, eine außerschulische Hilfe bei einer Fachkraft in Anspruch nehmen zu dürfen. Er hatte von einem Schulkollegen gehört, dass dieser sich einmal in der Woche mit jemandem traf, der ihm in schulischer Hinsicht, aber auch mit sehr hilfreichen Tipps für den Schulalltag zur Seite stand.

Freudig willigten die Eltern ein und so vereinbarte Tim ein Erstgespräch. Sofort merkte Tim, der alleine gekommen war, im Gespräch mit dem Spezialisten, dass dieser sehr einfühlsam war, er fand ihn sympathisch. Im Gespräch fasste Tim mehr und mehr Vertrauen und war eigentlich von sich selbst überrascht, was er so alles zu erzählen hatte. Schließlich sprach er auch vertrauensvoll über sein größtes Problem: das mangelnde Selbstvertrauen. Er war sich dieses Problems wohl bewusst, nur nicht imstande, sich selbst zu helfen.

Für weitere Treffen wurden Pläne gemacht. Tim konnte mit diversen Fragen kommen, die der Spezialist mit ihm gemeinsam aufarbeitete. Tim hörte auch auf die Anregungen, die in der außerschulischen Förderung fast nebenbei kamen, wie z.b. Geduld mit sich selbst zu haben, denn eine Verhaltensweise, die man sich über eine lange Zeit angewöhnt hat, kann man nicht von heute auf morgen einfach ändern.

Da Tim sich seines Problems bewusst war, was ein Vorteil war, denn meistens ist diese Einsicht nicht vorhanden, musste ein Ansatz zur Problemlösung gefunden werden, um aktiv daran zu arbeiten. Er lernte, sich selbst zu akzeptieren und nicht immer damit zu hadern, dass er eigentlich so sein wollte wie eine andere Person. Er lernte, dass jeder Mensch Fehler machte und es ihm auch erlaubt sein sollte, Fehler zu machen. So wurde Tim auch gezeigt und bewusst gemacht, welche Stärken er hatte, was logischerweise das Selbstbewusstsein stärkte und deshalb auch sein Selbstvertrauen.

Dieser gesamte Prozess nahm natürlich viel Zeit in Anspruch. Veränderungen stellten sich nur langsam ein, es gab auch immer wieder kleine Rückschritte, die mit Hilfe eines erfahrenen Spezialisten aber bewältigt werden konnten.

Tatsächlich verbesserten sich auch Tims Schulerfolge merklich, was wesentlich dazu beitrug, dass sein Selbstvertrauen gestärkt wurde. Lob war immer zuträglich. In der Klasse begann er, sich neu zu orientieren, und hing in Gedanken nicht mehr den Mitschülern nach, die in der Vergangenheit als absolutes Vorbild gegolten hatten. Er stellte fest, dass er von einigen Mädchen in der Schule immer häufiger in Gespräche verwickelt wurde.

Tim bekam immer mehr Vertrauen in die eigenen Fähigkeiten und versuchte, die Ziele, die er sich gesteckt hatte, auch zu erreichen. Der Spezialist stand ihm noch längere Zeit mit Rat und Tat zur Seite, erfreut zu sehen, wie positiv sich Tim entwickelt hatte. In ihm hatte Tim nicht nur eine wertvolle Unterstützung gefunden, sondern auch einen guten Freund.

JEDER MENSCH LERNT INDIVIDUELL

Den einfachen Weg, wie man sich Lerninhalte rasch und nachhaltig merken kann, muss jeder Lernende für sich selbst herausfinden. Früher oder später gelingt dies eigentlich recht gut, indem man selbst spürt, was man dazu benötigt. Doch es gibt auch Lernende, die es nicht selbst herausfinden können. Diese sind dann gut beraten, eine entsprechende Hilfe in Anspruch zu nehmen.

So wie im Fall von Marius, dem es einfach nicht gelingen wollte, eine Lerntechnik zu finden, welche die richtige für ihn war. Er besuchte die siebente Schulstufe. Nach seinen Worten war es für ihn in jeder Hinsicht schwer, sich Daten und Fakten z.b. im Geschichteunterricht dauerhaft zu merken. Ihn interessierte der schulische Gegenstand sehr, doch bei Prüfungen hatte er einiges, was er gerade gelernt hatte, wieder vergessen. Er hatte kein sogenanntes Blackout, sondern er konnte einfach gewisse Dinge nicht mehr aus dem Gedächtnis hervorholen. Dies beeinflusste seine Leistungen und damit die Schulnoten. Er fühlte sich auch nicht wohl mit der Situation und hatte immer das Gefühl, unter seinem Wert geschlagen zu werden.

Seine Eltern waren bei einem Verkehrsunfall ums Leben gekommen, als er noch sehr klein war, so wuchs er bei seiner Tante auf, die sich sehr gut um ihn kümmerte und auch bemüht war, ihm in jeder Hinsicht zu helfen. Doch auch sie war mit ihren Ideen am Ende. Sie hatte von einer Bekannten gehört, dass deren Freundin Kindern im außerschulischen Unterricht auch dabei half, den für sie passenden Lernstil zu finden. So suchte Marius mit seiner Tante diese Spezialistin auf. Es folgte für alle Beteiligten ein sehr informatives Gespräch. Man war sehr zuversichtlich, dass Marius geholfen werden könnte. Ein Förderplan wurde erstellt und die Förderstunden begannen.

Schon in der ersten Stunde erzählte die Spezialistin Marius von sogenannten Lerntypen, die recht unterschiedliche Ansätze benötigen, um sich einen Lernstoff längerfristig zu merken. Sie erklärte Marius sehr ausführlich und mit Beispielen den auditiven Lerntyp, der sich Lerninhalte durch das Lesen und die

Vorstellung von Handlungsabläufen am besten merken kann. Anschließend versuchte Marius eine Aufgabenstellung, bei der er einen Text auswendig lernen musste, den er laut vor sich hinsprach. Anschließend musste er der Spezialistin den Inhalt erzählen.

In der nächsten Stunde stellte die Spezialistin Marius den visuellen Lerntyp vor. Den Erklärungen dazu folgte eine Aufgabenstellung, wobei Marius mit Bildern zu dem Thema hantieren und sich so den Sachverhalt merken sollte. Er wurde auch dazu angehalten, sich Notizen zu machen und diese noch einmal durchzulesen.

Dann war der kommunikative Lerntyp an der Reihe. Im Gespräch mit der Spezialistin wurde ein Thema erarbeitet. Beide stellten Fragen zu dem Thema, die vom anderen beantwortet werden sollten. Dann erklärte Marius noch einmal den gesamten Sachverhalt.

Der motorische Lerntyp wurde zuletzt in einer für beide sehr lustigen Stunde besprochen. Die Spezialistin zeigte vor, wie sich Menschen, die diesem Typ angehören, verhalten, was Marius sichtlich amüsierte.

Alles, was mit Handeln und Bewegung zu tun hat, wird leicht aufgenommen und behalten. Informationen werden auch durch Angreifen und Fühlen gespeichert. Beim Lernen müssen sich Menschen des motorischen Lerntyps bewegen, dann klappt es am besten.

Schließlich ging es daran herauszufinden, welchen Lerntyp Marius eventuell für sich erkannt hatte. Das war gar nicht leicht, deshalb beschloss man, noch einmal von hinten nach vorne die Typen und die spezifischen Arten des Lernens zu replizieren, wobei Marius sofort den motorischen Typ ausgeschlossen hatte. Auch dem kommunikativen Typ konnte er wenig abgewinnen. So blieben nur noch der visuelle und der auditive Lerntyp übrig.

In den nächsten Stunden wurden beide Lerntypen wiederholt ausprobiert, wobei sich mehr und mehr herauskristallisierte, dass Marius ein visueller Typ war. Für eine bevorstehende Geschichtearbeit wurde nach den Grundsätzen dieses Lerntyps nun die Prüfungsvorbereitung durchgeführt. Der Stoff wurde mit visuellen Stützen erarbeitet und auch mehrfach wiederholt. Marius hatte sich nach Anleitung Notizen gemacht, Bilder und zusätzliche Informationen zum Thema im Internet gesucht und einiges mehr dafür getan, sodass der Stoff nicht nur gelernt, sondern auch wiederholt wurde und damit in das Langzeitgedächtnis gelangen konnte.

Bei der Klassenarbeit hatte Marius dann nicht die geringsten Schwierigkeiten, die notwendigen Informationen aus seinem Gedächtnis abzurufen.

SCHULBESUCHSVERWEIGERUNG

Pädagogen treffen immer wieder auf Kinder, die völlig überbehütet und ohne Eigenverantwortlichkeit aufwachsen.

In die Praxis einer außerschulisch arbeitenden Pädagogin kam ein Vater mit seiner achtjährigen Tochter Lena und ersuchte um Hilfe. Das Kind in der zweiten Schulstufe weigerte sich seit dem ersten Schultag vehement, in die Schule zu gehen. Der Vater dachte, dass sich diese Situation irgendwann bessern würde, doch dieser Wunsch war unerfüllt geblieben. Lena war auch häufig krank und hatte außergewöhnlich viele Fehlstunden, weshalb sie auch in der Schule nicht mehr gut mitkam.

Im Gespräch kam schnell zutage, warum Lena diese Reaktionen zeigte. Sie hatte keine Mutter mehr, diese hatte Tochter und Vater vor einigen Jahren verlassen. Den Grund wollte der Vater nicht nennen, doch im Laufe des Gespräches erhärtete sich der Verdacht immer mehr, dass die Mutter den Umgang, den der Vater mit der Tochter pflegte, offensichtlich nicht mehr ertragen konnte. Den Vater interessierte offensichtlich nur seine Tochter, alles andere empfand er mehr oder weniger als Last, sogar seinen Beruf vernachlässigte er, was jedoch kaum auffiel, denn die Firma, die er von seinen Eltern geerbt hatte, lief auch ohne sein Zutun bestens. Dies war wohl auch ein weiterer Punkt, warum er völlig darin aufging, alles für seine Tochter zu tun.

Im heutigen Sprachgebrauch verwendet man für ein solches Verhalten den Begriff Helikoptereltern. Diese kontrollieren nicht nur vollkommen das Leben ihrer Kinder und halten alles Negative von ihnen fern, sondern sie versuchen auch, in jeder Situation das Beste aus ihren Kindern und für ihre Kinder herauszuholen. Solche Verhaltensweisen sind zwanghaft und haben meist mit den Kindheitserlebnissen eines oder sogar beider Elternteile zu tun. Zumeist ist aber ein Elternteil für diese gesamte Situation verantwortlich und wird vom Partner nicht ausreichend gestoppt, oder dieser hat schon aufgegeben oder ist nicht mehr präsent.

Nicht selten führen solche Situationen, die ja mit der Geburt des Kindes beginnen und sich mit zunehmendem Alter noch verstärken, auch zu psychischen Auffälligkeiten. Es kommt auch vor, aber sehr selten, dass sich ältere Kinder aus dieser Situation selbst befreien und die Eltern oder den Elternteil selbst stoppen, doch meistens führt dies früher oder später zu unterschiedlichen Problemen.

Tatsache ist, dass die Zahl der psychisch erkrankten Kinder weiter ansteigt. Kinder müssen mit Problemen des Alltags selbst fertig werden, dabei müssen sie auch Fehler machen, denn aus Fehlern lernt man. Das wird ihnen aber von Eltern durch eine permanente Überbehütung verwehrt. Für die Kinder wird alles getan und von ihnen vieles ferngehalten und dies noch im guten Glauben, dass man immer für die Kinder da sein und ihnen stets zur Seite stehen muss.

In diesem konkreten Fall versuchte die Spezialistin, dem Vater vor Augen zu führen, warum das Kind gar kein Interesse hatte, in die Schule zu gehen. An diesem Ort, das hatte das Kind anscheinend umgehend herausgefunden, musste man sich an Regeln halten und konnte nicht immer seinen Kopf durchsetzen. Auf diese Situation war das Kind nicht vorbereitet worden. Die kindliche Denkweise erlaubte auch den Gedanken, dass man sich aus dieser Situation befreien könnte, und nun versuchte das Kind natürlich alles, um zu erreichen, dass es nicht in die Schule gehen musste.

Der Vater hatte es auch bis jetzt nicht geschafft, Lena eindringlich zu erklären, dass es keine andere Möglichkeit gäbe, als die Schule zu besuchen. Es war offensichtlich, dass das Kind einen sehr starken Willen hatte, dem der Vater nicht gewachsen war. Spät, aber doch, hatte sich der Vater dazu entschlossen, Hilfe in Anspruch zu nehmen.

Die Spezialistin ging mit einer freundlichen, jedoch sehr entschlossenen und konsequenten Art an den Fall heran. Lena, die so ein Vorgehen nicht kannte, war zuerst erstaunt und auch überrascht. Doch nach einigen Stunden war Lena klar, dass sie an einem Ort angekommen war, wo sie eine sehr gute Unterstützung bekommen konnte. Sie hatte nun auch das Konzept des Schulbesuches erkannt und hatte das erste Mal davon gehört, dass man auch Pflichten zu erfüllen hatte, weil man sonst mit Konsequenzen rechnen musste, und dass man nicht nur andauernd fordern konnte.

Mit der Zeit fiel ihr weder der Schulbesuch schwer noch bereiteten ihr die Anforderungen, die in der Schule gestellt wurden, Schwierigkeiten, denn Lena war ein sehr intelligentes Kind. Der fehlende Schulstoff wurde auch schnellstens gezielt nachgeholt. Lena hatte in der Spezialistin eine Person gefunden, der sie nicht nur Hochachtung entgegenbrachte, sondern auch sehr viel Freundlichkeit. Mit der Zeit hatte auch der Vater wichtige Erkenntnisse gewonnen: Die wachsende Selbstständigkeit der Kinder kann nicht aufgehalten werden, sie ist eine Notwendigkeit für ein erfolgreiches Leben und man tut Kindern nichts Gutes, wenn man sie ständig von aller Lebensrealität fernhält.

Als die Spezialistin eines Tages fragte, ob Lena denn noch weiterhin zu ihr kommen möchte, da machte Lena ihr wohl ein außergewöhnliches Kompliment, als sie sagte: "Ja, selbstverständlich, ich brauche nämlich Disziplin!"

Erika hatte im sechsten Gymnasium die Schule abgebrochen und eine Lehre angetreten, die sie jedoch nie fertigmachte. So arbeitete sie nur in Hilfsjobs und war keineswegs zufrieden mit den geistigen Ansprüchen, die an sie gestellt wurden. Der Grund für den Schulausstieg waren seinerzeit mangelnde Schriftsprachekompetenzen und man legte ihr in der Schule nahe, sich grundlegend zu verbessern, da andernfalls eine positive Reifeprüfung nicht möglich wäre. In dem Alter, in dem sich Erika damals befand, war dies eine aussichtlose Sache, denn sie hatte eigentlich seit Schulbeginn mit Schulproblemen gekämpft und war so ziemlich auf sich alleine gestellt. Hilfe von zuhause bekam sie nicht, ihre Mutter arbeitete hart und hatte für sie keine Zeit, Vater gab es keinen und auch von Seiten der Schule gab es keine Unterstützung. Irgendwann war sie es leid, von einer Klasse zur nächsten weiterzukämpfen.

Doch dann kam für Erika der Tag der Reue, dass sie im Gymnasium nicht durchgehalten hatte. Sie war bereits in den späten Zwanzigern, als sie noch einmal beginnen wollte und sich in die Abendschule einschrieb. Sie bekam vom Staat eine Unterstützung, weil es ein Programm für Spätstudierende gab. Es war zwar nicht viel Geld, doch mit einem Zuverdienst konnte sie es schaffen.

So begann für sie der erste Schultag mit einer positiven Einstellung. Doch schon nach kurzer Zeit bemerkte sie, dass sie wieder dieselben Probleme einholten, deretwegen sie die Schule verlassen hatte. Sie hatte nun im Fach Deutsch zwar eine sehr nette Lehrerin, der sie sich anvertraute und die verstand, dass es Menschen gab, für die Schreiben und Lesen nicht so einfach war, doch sie berief sich auf das Leistungs- und Notensystem. Sie schlug Erika aber vor, sich eine außerschulische Hilfe zu holen. Erika konnte sich aber so eine Hilfe nicht leisten. Hilfsbereit vermittelte sie die Lehrerin an eine Kollegin, die ihr auch ohne Bezahlung, jedoch für eine Mithilfe im Haushalt, half. Da Erika keine volle Tagesbeschäftigung hatte und sie ja am Abend die Schule besuchte, war dies eine sehr gute Lösung.

Die Lehrerin hatte zahlreiche Schüler, denen sie mit einer speziellen Lernförderung außerschulisch half und die täglich am Nachmittag zu ihr kamen. Am Vormittag war sie auch immer einige Stunden in der Schule, aber sie nahm sich jeden Tag für Erika Zeit.

Die Lehrerin stellte am Beginn der Zusammenarbeit fest, wo Erikas Schwachpunkte lagen, und plante für sie eine gezielte Förderung. Dann ging es an die Arbeit. Es wurde auch darüber gesprochen, dass das gesamte Förderkonzept über einen längeren Zeitraum gehen würde und der ehrliche Wille der Lernenden vorhanden sein musste, weil andernfalls kein Fortschritt möglich wäre. Erika bemühte sich aber sehr und trug wesentlich dazu bei, dass sich Verbesserungen einstellten. Die Lehrerin zeigte Erika individuelle für sie notwendige Wege, wie sie sich im Lesen und Schreiben verbessern konnte.

Erika freundete sich vor allem damit an, bewusst ihre Gedanken leiten zu können. Zuvor ärgerte sie sich über ihre abschweifenden Gedanken sehr, da sich in ihrem Kopf Gedanken breitmachten, die so überhaupt nicht dazupassten, sobald sie zu lesen oder zu schreiben begann. Dies passierte nun nicht mehr so häufig. Zuvor war sie aber dem Gedankenabschweifen hilflos ausgeliefert, weil ihr niemals jemand gesagt und vor allem logisch erklärt hatte, dass man seine Aufmerksamkeit voll auf das Thema lenken musste, mit dem man sich gerade beschäftigte, damit man keine oder weniger Fehler machte.

Dass Erika nun lernte beim Lesen und Schreiben ausdauernder beim Thema zu bleiben, brachte schon Verbesserungen. Das wiederum spiegelte sich auch in den Schulleistungen wider. Die Deutschlehrerin in der Schule hatte auch immer einen guten Kontakt zu der Lehrerin, die Erika außerschulisch half. Die Zusammenarbeit der drei Beteiligten funktionierte sehr gut, was auch ein sehr positives Kriterium darstellte.

Mit dem Fokussieren der Aufmerksamkeit wurden das Erlernen der Rechtschreibung und das sinnerfassende Lesen erleichtert. Es war eine sehr arbeitsreiche Zeit, denn Erika übte auch alleine die Aufgaben, die ihr von der Lehrerin, der sie laufend im Haushalt half, aufgegeben worden waren.

Schließlich schaffte Erika nach vielen, vielen Stunden des Extralernens die Reifeprüfung. Die harte Arbeit hatte sich gelohnt und alle Beteiligten waren sehr glücklich darüber.

LERNBLOCKADEN

Eine Mutter, die sich an eine Pädagogin wandte, die außerschulisch eine Lernunterstützung anbot, beschrieb ihren Sohn Leo, der die achte Schulstufe besuchte, als einen vielseitig interessierten und aufgeschlossenen Jugendlichen.

Er hatte auch jede Menge Freunde, mit denen er sich traf und vieles unternahm. Er war auch immer ein durchschnittlicher Schüler gewesen, doch seit einiger Zeit wollte es in der Schule gar nicht mehr klappen und es kam vermehrt zu Misserfolgen, die Leo gar nicht auf die leichte Schulter nahm. Die Mutter berichtete im Gespräch, dass sie schon versucht hatte zu eruieren, was nun in der Schule schieflief. Tatsächlich aber gelang es ihr nicht, von Leo eine Erklärung zu bekommen, was in der Schule anders geworden war. So bat sie die Spezialistin um Unterstützung, damit der Grund herausgefunden und entsprechende Hilfe geleistet werden könnte.

Um Leos Lernstand festzustellen, wurde eine Lernförderung vereinbart. Dabei wurde in Gesprächen auch versucht, die Schulsituation nach Besonderheiten zu durchleuchten. Es stellte sich heraus, dass Leo eigentlich keine gravierenden Lücken in den verschiedenen Lernbereichen aufwies. Doch wurde nach und nach klar, Leo sprach dies nie klar aus, dass ihn sogenannte Lernblockaden plagten. Er beschrieb die Situation sehr anschaulich.

Schon Tage vor einer Prüfung oder Klassenarbeit dachte er mehr über den unangenehmen Zustand nach, der ihn ereilen würde, wenn er das Gelernte in der Schule umsetzen sollte, und blockierte oder verhinderte so selbst, das Gelernte ausreichend zu vertiefen. Bei Prüfungen, im mündlichen Bereich war es noch schlimmer als im schriftlichen, war plötzlich fast sein ganzes Wissen wie weggeblasen und es fielen ihm die Daten und Fakten, die er wissen sollte, nicht mehr ein.

Er konnte nicht sagen, wann dieses Problem erstmals aufgetreten war, und hatte selbst auch keine Erklärung dafür, warum er sich so fühlte.

Tatsächlich gibt es viele Gründe, die das Entstehen von Lernblockaden begünstigen, und es kann oftmals nicht ausreichend geklärt, sondern nur vermutet werden, was dazu geführt hat. Es ist wohl anzunehmen, dass mehrere Faktoren zusammenwirken und nicht ein Einzelfaktor allein zu Lernblockaden führt.

Leo beschrieb nur, dass sich der Zustand eigentlich langsam entwickelt hatte, bis er für ihn wirklich massiv spürbar geworden war. Dies wird häufig von Betroffenen beschrieben, die Lernblockaden aufweisen. Er bemerkte auch, dass er sich selbst einfach nicht helfen konnte. Er verspürte nur einen unausweichlichen Druck. Er beschrieb auch, dass er nicht wirklich Angst hatte, aber manchmal einfach sich selbst nicht mehr zutraute, gute Leistungen zu erbringen.

Für die Spezialistin stellte sich nun die Frage, ob sie weiterhin nach den Gründen für Leos Lernblockaden suchen sollte, denn offensichtlich gab es keine, oder ob sie ihn grundsätzlich motivieren sollte, in der Schule wieder gute Leistungen zu erbringen. Es gab auch keine kognitiven Gründe dafür, dass das Lernen nicht gelingen sollte, was auch oft als Faktor für eine Lernblockade angenommen wird. Da die Spezialistin auch keinerlei Anzeichen für psychische Auffälligkeiten bei der Arbeit mit Leo feststellen konnte, wollte sie auch anraten, sich an einen Spezialisten der Gesundheitsebene zu wenden.

In der spezifischen Lernförderung wurde nun der Schwerpunkt gesetzt, über Prüfungs- und Klassenarbeiten zu sprechen und sie in den Förderstunden nachzuspielen, wobei die einzelnen Phasen von Prüfungen oder Klassenarbeiten beleuchtet wurden.

Bei realen Prüfungen kann man bitten, dass z.b. die Frage noch einmal formuliert wird, was manchmal wirklich hilfreich für die Beantwortung sein kann, weil man die Frage zweimal hört. Bei Klassenarbeiten sollte man sich zuerst ein Konzept machen, wie man vorgehen möchte, denn in manchen Fachbereichen müssen die Aufgaben nicht zwingend der Reihe nach erledigt werden, sondern es können jene, die man gleich beantworten kann, zuerst erledigt werden.

Solche Analysen sollten dazu beitragen, dass das Lernen wieder besser gelang, was auch in Form von verbesserten Leistungen in der Schule zum Ausdruck kommen sollte. Zusätzlich wurde natürlich auch in den einzelnen Lernbereichen erklärt, geübt und vertieft. Nach und nach lockerten sich Leos Lernblockaden, doch es dauerte noch eine geraume Zeit, bis sie dann glücklicherweise ganz verschwunden waren.

DEUTSCH ALS ZWEITSPRACHE

Für Kinder ist es ein gravierender Einschnitt in ihrem Leben, wenn sie, durch welche Gründe auch immer, in ein anderes Land kommen, wo man eine andere Sprache spricht. Auch im Kindesalter kann man eine Fremdsprache nicht von heute auf morgen erlernen. Die Sprache des Landes zu lernen, ist aber für einen Schulbesuch und das Anfreunden mit der neuen Umgebung unumgänglich, da man andernfalls nur ein „Gast" mit sehr beschränken Möglichkeiten bleiben wird.

Da es in deutschsprachigen Ländern auch zu einem Zuzug aus anderssprachigen Ländern kommt, werden natürlich auch außerschulische Spezialisten bisweilen mit solchen Kindern konfrontiert. Dies stellt in jeder Hinsicht eine große Herausforderung dar, die nicht jeder auf sich nehmen möchte. Speziell das Vertrauen sowohl der Eltern als auch der Kinder zu erlangen, erfordert manchmal ein sehr intensives und geduldiges Arbeiten der Spezialisten.

In diesem konkreten Fall wurde die Spezialistin von einer befreundeten Lehrerin gebeten, dem kleinen Ali zu helfen, der in der ersten Schulstufe war, denn dieser würde nur teilnahmslos in der Schule sitzen und dem Unterricht kaum folgen. Dies war nachvollziehbar, denn Ali verstand die deutsche Sprache kaum und konnte sich deshalb auch nicht mit den anderen Schülern verständigen, und Kinder, die Alis Muttersprache sprachen, gab es in der Klasse nicht. Die Lehrerin meinte, dass die Eltern des Kindes auch finanziell dafür aufkommen könnten, denn der Vater verdiente gut.

Obwohl die Spezialistin so einen Fall noch nie hatte, traute sie sich zu, diesen zu übernehmen. Die Eltern des Kindes wurden zu einem Gespräch eingeladen, was alleine schon eine Herausforderung war. Der Vater, der angemessen Deutsch sprach, übersetzte alles der Mutter und auch Ali wurde so miteinbezogen. Ali gefiel offensichtlich die Umgebung, denn die Spezialistin hatte schon einige sehr anschauliche

Materialien mitgebracht, die sie von ihrer fünfjährigen Tochter „ausgeborgt" hatte.

Der Spezialistin fiel auf, dass Ali nicht nur der deutschen Sprache nicht mächtig war, sondern auch Probleme bei den Sinneswahrnehmungen hatte, die anscheinend in der Vorschulzeit nicht ausreichend gefördert worden waren. Die Spezialistin wandte den Pädagogischen Sinneswahrnehmungstest im Vorschulalter (PSV) an, um festzustellen, bei welchen Sinneswahrnehmungsbereichen sie mit der Förderung ansetzen musste.

In einer sehr einfachen, aber anschaulichen Art und mit vielen Bildern und spielerischen Sinneswahrnehmungsübungen begann die Spezialistin, die Grundlagen der deutschen Sprache zu erarbeiten, zuerst Wörter, dann einfache Sätze. Sie sprach mit Ali sehr langsam und sehr deutlich und ließ ihn auch immer wieder Wörter oder Sätze mehrmals wiederholen. Sie regte ihn auch an, immer rückzufragen, wenn er etwas nicht verstanden hatte.

Auch wenn es anfänglich sehr anstrengend für beide Seiten war, so ließen die guten Ergebnisse nicht lange auf sich warten. Ali machte große Fortschritte in der deutschen Sprache und auch seine Sinneswahrnehmungen verbesserten sich zusehends. Dem Kind machten die Förderstunden großen Spaß, er fasste schnell Vertrauen und kam mit Begeisterung zu den Stunden. Ali war ein Kind mit einer guten Auffassungsgabe, er verstand alles schnell und bald begann er auch, aktiv mit den Mitschülern in der Klasse zu kommunizieren.

Die Spezialistin erklärte Ali auch, dass er seine Gedanken bei der Sache haben und, wenn er seine Gedanken woanders hinlenkte, sie wieder zurück zur Sache bringen müsste, damit er sich alles gut merken konnte.

Ali war noch für lange Zeit in der außerschulischen Lernförderung, denn er hatte eine sehr gute Stütze in der gedeihlichen Zusammenarbeit von Klassenlehrerin und Spezialistin gefunden.

HILFESTELLUNG FÜR DIE FÜHRERSCHEINPRÜFUNG

Ein wohl nicht alltäglicher Wunsch wurde an eine Spezialistin, die normalerweise außerschulisch Schülern half, von einem jungen Mann herangetragen. Er bat die Spezialistin um Hilfe für die bevorstehende Führerscheinprüfung.

Die erste Stunde wurde vereinbart. Harry erzählte, dass er schon immer Schwierigkeiten beim Lesen von Texten gehabt hatte. Trotzdem hatte er es mit außerschulischer Hilfe bis zur Reifeprüfung geschafft und diese auch bestanden. Nun war seine große Stütze in Sachen Schule in den Ruhestand gegangen und in eine andere Stadt gezogen.

Er beschrieb die letzten Wochen, in denen er sich für die theoretische Führerscheinprüfung vorbereitet hatte, als einziges Dilemma, aus dem er einfach selbstständig nicht mehr herauskommen konnte. Die für solche Fälle gesetzlichen Möglichkeiten wollte er aber erst in Anspruch nehmen, wenn er es mit Hilfe der Spezialistin nicht schaffen sollte. Die praktische Prüfung hingegen würde überhaupt kein Problem sein, weil er schon als Zwölfjähriger begonnen hatte, mit dem Traktor seines Großvaters auf Privatgrund zu fahren und demnach schon einige Praxis aufweisen konnte.

In den verpflichtenden Unterrichtsstunden in der Fahrschule war für ihn alles völlig klar. Als es jedoch zu „Probeprüfungen" in der Fahrschule kam, schaffte er nicht annähernd die Punkteanzahl, die für ein Bestehen der Prüfung notwendig war. Die Prüfung fand auf einem Computer statt, wo die Prüfungsfragen im Multiple-Choice-Verfahren beantwortet werden mussten, also mit vorgegebenen Antwortmöglichkeiten, wobei eine bis alle Antworten richtig sein konnten. Nur dann galt eine Frage als richtig beantwortet, wenn alle richtigen Antworten ausgewählt worden waren.

Die Problematik bestand für Harry darin, dass er das sinnerfassende Lesen nicht hundertprozentig beherrschte. Außerdem waren Fragen häufig in doppelter Verneinung formuliert, sodass sie schwerer zu verstehen waren, wenn man nicht gut sinnerfassend lesen konnte. Auch der Zeitfaktor spielte eine Rolle. Die Prüfung dauerte im Normalfall etwa 30 Minuten, doch für Menschen, die nicht zügig lesen können, entsprechend länger. Die notwendige Aufmerksamkeitsspanne war für Harry auch schwer zu bewältigen.

Speziell für Harrys Ansprüche arbeitete die Spezialistin nun einen Plan aus, um ihm umfassend zu helfen. Begonnen wurde damit, Harry dazu zu bringen, sich auf den zu erarbeitenden speziellen Lerninhalt für die Führerscheinprüfung zu fokussieren. Sie zeigte ihm bei dieser Arbeit auch immer wieder, wie er seine abhandengekommene Aufmerksamkeit wieder zurückholen konnte, und er lernte auch zu registrieren, dass seine Aufmerksamkeit weggedriftet war. Es dauerte einige Zeit, doch Harry bemühte sich sehr, bis dieser Vorgang immer besser und reibungsloser vonstattenging. Bald bemerkte er auch selbst, dass das Lesen und Verstehen mit Fokussierung wesentlich besser funktionierten.

Der nächste Schritt bestand darin, den gesamten Test, der Harry online zum Üben zur Verfügung stand, intensiv und erklärend immer und immer wieder durchzuarbeiten und zu wiederholen. Dies war sehr zeitintensiv und verlangte auch viel Geduld von Harry, doch er brachte diese mit einer sehr positiven Einstellung auf, weil er doch bemerkte, dass er Fortschritte machte.

Der Test als Gesamtprojekt wurde immer und immer wieder geübt. Dabei lernte Harry auch, sich mit dem Zeitfaktor auseinanderzusetzen, und er wurde auch zunehmend schneller mit der Beantwortung.

Die gesamte Arbeit wurde von der Spezialistin gefördert, indem sie Harry immer wieder gut zuredete und ihn vor allem auch lobte. Sie wusste, dass auch Erwachsene sehr positiv auf diese pädagogisch-didaktische Maßnahme reagierten. Die gesamte Hilfe erstreckte sich doch auf einige Monate, bis dann Harry gemeinsam mit der Spezialistin entschied, den Schritt zur Führerscheinprüfung zu wagen. Die Probedurchgänge hatte Harry nie hundertprozentig geschafft, doch war er gut motiviert und zuversichtlich, dass er es diesmal schaffen würde.

Dann kann der Tag der Führerscheinprüfung. Harry rief die Spezialistin vorher noch an. Es war eine Aktion, die ihm anscheinend noch zu Selbstsicherheit verhalf. Nach einiger Zeit läutete bei der Spezialistin wieder das Telefon. Freudig berichtete Harry, dass sie die Erste wäre, die er nun benachrichtigte, dass er die Führerscheinprüfung mit 85% bestanden hatte, von 40 Fragen hatte er nur 6 falsch beantwortet. Das war wahrlich eine Sensation, die er bei den Probeprüfungen nie geschafft hatte. Die Freude war auf beiden Seiten sehr groß!

Harrys Leistung beweist einmal mehr, was sich vielfach in der praktischen Arbeit zeigt, dass oftmals Menschen mit Leseproblemen über sich hinauswachsen können, sofern sie pädagogisch-didaktisch gut angeleitet werden.

VERHALTENSAUFFÄLLIGKEIT ALS GRUND FÜR SCHULPROBLEME

Die heutige Zeit mit ihrer Schnelllebigkeit und mit unzähligen Ablenkungen und auch die Tatsache, dass viele Eltern für ihre Kinder nur noch wenig Zeit aufbringen, bewirken in vielen Familien eine Veränderung des Erziehungsstils. Kinder sind nicht mehr so belastbar, sie werden auch nicht mehr ausreichend dazu angehalten, Regeln zu respektieren, sie können keine Kritik oder gar Niederlagen mehr akzeptieren, sie kennen oftmals keine Disziplin mehr.

Da sich Kinder aber nach wie vor der Schule anpassen sollten, damit ein erfolgreiches Lernen stattfinden kann, weil es kaum Schulen gibt, die den Bedürfnissen jener Kinder entsprechen, die nicht mit dem Standardangebot zurechtkommen, zeigen

Kinder immer wieder Verhaltensauffälligkeiten und kommen schnell in die Maschinerie der Gesundheitsberufe. Dort gelandet, gibt es aber leider auch keine Garantie dafür, dass sich die gesamte Situation verbessert.

Marius war so ein Kind, das nie gelernt hatte, dass es auf dieser Welt noch andere Dinge gab als seine Ideen und seinen Willen. Er besuchte die zweite Schulstufe und dieser Umstand wirkte sich immer mehr zum Negativen aus, denn er konnte sich dem Tagesablauf in der Schule nicht anpassen und machte stets, was er wollte. Mit seinen Klassenkollegen gab es auch immer Schwierigkeiten, da er auf Ideen kam, die eigentlich seinem Alter nicht entsprachen. Er stiftete die Kinder zu Taten an, für welche diese dann bestraft wurden, während er sich geschickt aus der Affäre zog. So beschwerten sich die Eltern der anderen Kinder bei der Klassenlehrerin. Mehrere Kinder der Klasse wollten mit Marius auch gar nichts mehr zu tun haben, weil sie intuitiv merkten, dass von ihm nichts Gutes ausging.

Daraufhin kam es immer wieder zu Zwischenfällen. Marius attackierte verbal Kinder seiner Klasse, die nicht machen wollten, was er ihnen sagte, in einer Art und Weise, die einfach nicht dem Wortschatz eines Sechsjährigen entsprach. Es kam auch immer wieder zu physischen Attacken, z.B. stieß er die Kinder und haute auch hin.

Schon in der ersten Schulstufe war den Eltern nahegelegt worden, einen Psychologen aufzusuchen, was auch geschah. Dieser konnte jedoch nichts Ungewöhnliches im Verhalten von Marius erkennen, weshalb dieser mit dem Psychologen nur einige Stunden in einer Gesprächstherapie verbrachte. Tatsächlich änderte dies aber nichts am Verhalten von Marius.

Es war anzunehmen, dass er sich beim Psychologen von einer anderen Seite als in der Schule gezeigt hatte.

Die Lehrerin sprach die Problematik aber immer wieder an und meinte, dass Marius Verhaltensauffälligkeiten zeigte und er in der Klasse für seine Mitschüler schwer zu ertragen wäre. Sie versuchte auch mehrmals, im Gespräch mit der Mutter herauszufinden, warum sich Marius so benahm. Doch die Mutter zeigte eine Abwehrhaltung und meinte, Marius wäre halt so.

Schließlich brachte die Lehrerin aber die Mutter dazu, eine Spezialistin, die eine spezifische Lernförderung machte, um Hilfe zu bitten, denn nicht nur Marius' Verhalten, sondern auch seine schulischen Leistungen ließen zu wünschen übrig.

Geschickte Fragestellungen in den Gesprächen der Spezialistin mit der Mutter und auch mit Marius führten schließlich zu wichtigen Informationen, welche die gesamte Situation erklärten. Eindeutig handelte es sich bei Marius um ein sogenanntes wohlstandsverwahrlostes Kind. Er war schon früh sich selbst überlassen worden. Seine Eltern waren mit ihrer Arbeit so beschäftigt, dass er eigentlich machen konnte, was er wollte. So schaute er sich stundenlang Filme an, die nur für Erwachsene gedacht waren. Er hatte schon als Fünfjähriger einen Computer mit uneingeschränktem Internetzugang. Auch wenn die Eltern anwesend waren, widmeten sie sich kaum Marius, sie führten auch vor ihm Gespräche mit Inhalten, die er nicht zuordnen konnte. „Sei nicht lästig", so erzählte Marius, der sich bei der Arbeit mit der Spezialistin sichtlich wohl fühlte, war der Standardsatz, den er von seinen Eltern immer wieder hörte.

Diese Fakten erklärten das Verhalten von Marius und sein unermüdliches Ringen um Anerkennung und Aufmerksamkeit, die sich nicht selten wohl auch in aggressiven Handlungen ausdrückten.

Diese sogenannten Verhaltensauffälligkeiten zeigen sich bei Kindern in unterschiedlichen Formen, es gibt kein einheitliches Erscheinungsbild.

In der Spezialistin mit ihrer Zuwendung und ihrem für ihn spürbaren Interesse an seinen Problemen hatte Marius eine Person gefunden, die ihm das Gefühl gab, dass sie für ihn da war. Obwohl sie Marius einiges an Leistungen abverlangte, denn er hatte auch Lerndefizite, entwickelte er sich zu einem eifrigen Schüler. Die Spezialistin legte den Eltern nahe, dass sie Marius auch zuhause Aufmerksamkeit und Anerkennung schenken müssten, was sich positiv auf das Familienleben auswirken würde. Die Lehrerin in der Schule verfolgte nur staunend die Wandlung von Marius und auch seine Mitschüler akzeptierten ihn bald als willkommenes Mitglied der Klasse.

Es war ein großes Glück, dass das Kind noch zur rechten Zeit auf die richtige Bahn gelenkt worden war, denn je älter die Kinder sind, bei denen sich Auffälligkeiten zeigen, desto schwieriger wird es für die Umgebung, sie noch zu einem Mitglied unserer Gesellschaft zu machen.

VOR EINEM PUBLIKUM SPRECHEN

Schon in der Schule hatte Klara Schwierigkeiten, wenn sie vor der Klasse sprechen sollte, und vermied es, wann immer es möglich war. Sie war grundsätzlich eine gute Schülerin, aber dieses Problem konnte sie einfach nicht in den Griff bekommen.

Nun war sie auf der Universität und da war es bei Seminaren fast jede Woche notwendig, vor Professoren und Studenten zu sprechen. Für Klara war dies ein Alptraum, der einfach gar nicht enden wollte. Jedes Mal, wenn sie an der Reihe war, ein Statement abzugeben, hatte sie in ihrer Aufregung große Mühe, ihre Gedanken zu ordnen. Dies zeigte sich auch äußerlich, weil sie zu schwitzen begann und auch im Gesicht rot anlief. Ihr wurde sogar mulmig im Magen und ihr Mund wurde trocken. Mit viel Mühe gelang das Sprechen dann doch, aber man merkte Klara an, dass sie sich nicht wohl fühlte. Von anderen Studenten darauf angesprochen, leugnete sie stets, dass irgendetwas nicht passte.

Wenn eine längere Präsentation bevorstand, schlief Klara schlecht und hatte Alpträume, dass sie sprechen wollte, aber lediglich irgendwelche sinnlosen Laute aus ihrem Mund gekommen wären. Sie war zwar immer gut vorbereitet, jedoch konnte sie sich selbst nicht von dieser Panik befreien. Je mehr Leute ihr zuhörten, desto schlimmer wurde es für Klara.

Ihre Tante, mit der sie bisher nicht sehr viel Kontakt gehabt hatte, war eine Lehrerin, die auch Menschen mit Lernproblemen außerschulisch half. Klara fragte sich immer wieder, ob sie diese kontaktieren sollte, denn so konnte sie nicht weitermachen. Vielleicht hatte diese Lehrerin Ideen, wie sie diese Verhaltensweise ändern könnte. Schließlich rief Klara die Tante an und bat sie um Hilfe. Die Tante fragte gar nicht, was konkret ihr Problem wäre, sondern sagte sofort zu.

Klara hatte ein sehr langes Gespräch mit ihr. Die Tante konnte sehr gut zuhören und fragte auch gezielt, ob sie sich erinnern könnte, wann dieses Problem zum ersten Mal aufgetreten war. Klara konnte sich vorerst nicht erinnern, doch ihre Tante erklärte ihr, dass es ein großer Vorteil wäre, wenn sie sich entsinnen könnte, wann und wo das Problem erstmalig aufgetreten war. Nach einer Denkpause konnte sich Klara plötzlich erinnern. Sie war in der sechsten Schulstufe und sollte vor der Klasse ein Gedicht aufsagen, das sie sehr gut gelernt hatte, doch der Anfang fiel ihr nicht ein. Da begann eine Mitschülerin, sie auszulachen. Es war Klara nicht mehr gelungen, sich des Textes zu entsinnen, und sie schämte sich sehr. Sie konnte sich auch noch an einen nicht sehr ermutigenden Kommentar des Lehrers erinnern, was noch zusätzlich schmerzte. Dies war wohl der Beginn des Problems.

Das Erkennen der Ursache trug sicherlich dazu bei, dass sich Klara damit auch gedanklich auseinandersetzen konnte. In weiteren Gesprächen versuchte ihre Tante, ihr vor Augen zu führen, dass es bei einem Vortrag und einer Präsentation doch keinen Unterschied machte, vor wie vielen Zuhörern man diese hielt. Ob zehn oder Hunderte von Leuten zuhörten, wäre für den Vortragenden nicht relevant, da er dieselben Inhalte wiedergäbe. Diese für Klara so plausible Argumentation hatte eine Verbesserung bewirkt.

Von nun an probte sie mit ihrer Tante kurze und längere Reden, sie bereitete Präsentationen vor, die sie an der Universität halten musste, und referierte vor ihr, indem sie sich vorstellte, dass außer ihrer Tante noch viele andere Leute im Auditorium säßen. Ihre Tante hatte stets gute Ratschläge für sie, was z.B. die Sprachgeschwindigkeit oder die Betonung etc. betraf.

Vor Beginn versuchte Klara immer, sich innerlich zu sammeln, sie trank Kamillentee, denn sie hatte bemerkt, dass dieser ihr auch guttat. Dann schloss sie kurz die Augen, sammelte ihre Gedanken und versuchte, ruhig mit dem Vortrag zu beginnen. Von Mal zu Mal gelang es ihr immer besser.

ERWACHSENER MIT LESEPROBLEMEN

Lesen war nie seine Stärke, seit Florian die erste Schulstufe besuchte, hatte er Schwierigkeiten damit. Irgendwie hatte er sich aber all die folgenden Schuljahre tapfer, vor allem auch mit Hilfe seiner Mutter, durch die Schule bis zum Abitur gekämpft und dieses auch bestanden.

Sein Traum war immer gewesen, einmal den Beruf eines Arztes auszuüben, um kranken Menschen zu helfen. Doch dieser Wunsch schien an den unendlich langen und komplizierten Studienunterlagen zu scheitern. Florian wollte sich aber nicht so leicht geschlagen geben. Zuerst versuchte er es alleine, doch bald wurde ihm klar, dass die Zeit, die er dazu brauchte, die Texte zu lesen und den Inhalt zu erkennen, viel zu lange war, um sein Ziel zu erreichen. Seine Mutter, die ihm schon viele Texte in den Jahren zuvor langsam und eindringlich vorgelesen hatte, die sich Florian nach einmaligem Hören merkte, war leider nicht an seinem Studienort, deshalb überlegte er sich, jemanden zu konsultieren, der sich mit solchen Problemen auskannte.

Er fand bald eine Spezialistin, die einen spezifischen Förderunterricht erteilte und besonders damit warb, jedem das sinnerfassende Lesen beibringen zu können. Ein Termin wurde vereinbart und Florian war sehr gespannt, was ihn da erwartete. Vom ersten Augenblick an war klar, dass auf beiden Seiten Sympathie vorhanden war, was eine sehr wesentliche Rolle für den Erfolg spielte, damit die beiden gemeinsam gute Arbeit leisten konnten.

Normalerweise stellt sich grundsätzlich die Frage, ob der von Leseproblemen Betroffene auch den Willen mitbringt, das Ziel zu erreichen. In diesem Fall kam sie nie zur Sprache, weil die Spezialistin sofort erkannte, dass Florian aus freien Stücken gekommen war. Auch als sie ihm erklärte, dass diese Arbeit eine sehr intensive und langwierige sein würde und seinen ganzen Einsatz verlangen würde, änderte sich nichts an Florians positiver Einstellung.

Die Spezialistin gab Florian einige Ratschläge, wie man ein sinnerfassendes Lesen erlernen kann. Vorrangig war, dass er beim Lesen eines Textes den Fokus hundertprozentig auf diese Tätigkeit legte. Dies hielt er zuerst für leicht, musste aber schnell zugeben, dass sich dies als Schwerstarbeit herausstellte. Ihm selbst war es nie so bewusst geworden, dass er eigentlich beim Lesen gar nicht fokussieren konnte.

Immer wieder entglitten ihm die Gedanken und da war dann auch schon die Ermahnung der Spezialistin da, wieder zurück zum Text zu finden. Manchmal wunderte er sich, warum sie dies immer bemerkte, später verriet sie ihm, warum das so war. Sobald ihm die Gedanken entglitten, machte er viele Fehler beim Lesen, das war das ganze Geheimnis.

In der Leseförderung wurde hauptsächlich mit den Skripten gearbeitet, die Florian vom Studium mitbrachte. Er wurde dazu angehalten, diese laut vorzulesen, was ihm zuerst schwerfiel. Doch hatte er einen sehr guten Draht zur Spezialistin entwickelt, sodass er sich bald für die Fehler, die er machte, nicht mehr schämte.

Die Spezialistin stellte ihm auch eine sogenannte Leseschablone zur Verfügung. Diese hatte den Zweck, nur einen Teil des zu lesenden Textes zu zeigen, der andere war verdeckt. Nun merkte Florian auch, dass ihn eine gesamte Buchseite bzw. die vielen Wörter stets irritiert hatten, manchmal sah er auch die Buchstaben verschwommen. Für ihn stellte die Leseschablone eine merkliche Erleichterung beim Lesen dar. Er nahm sie auch mit nachhause und das erste Mal in seinem Leben begann er, einen Roman zu lesen. Es machte sogar Spaß!

In der Leseförderung mit der Spezialistin musste Florian nach einigen gelesenen Absätzen das Gelesene zusammenfassen und kommentieren. Die Fokussierung gelang immer länger und deshalb auch das Erfassen des selbst gelesenen Textes.

Die Zusammenarbeit zwischen der Spezialistin und Florian dauerte noch einige Zeit, denn sie vermittelte ihm auch eine große Sicherheit und hatte eine besondere Gabe, ihn zu motivieren. Nach und nach wurden Prüfungen gemacht und zumeist mit Bravour bestanden.

Letztendlich promovierte Florian, er war Arzt geworden, so wie er es sich immer erträumt hatte, er machte seine verpflichtenden Dienste im Krankenhaus und beherrschte das sinnerfassende Lesen.

NACHWORT

Das vorliegende Handbuch soll als Unterstützung für die praktische Arbeit der Spezialisten verstanden werden, die auf pädagogisch-didaktischer Ebene mit Menschen arbeiten, die Lernprobleme haben. Es ist ein Nachschlagewerk, das bei der Beantwortung der Fragen, die sich mitunter im Zuge der spezifischen Lernförderung ergeben, helfen soll.

Es ist außerordentlich hilfreich oder sogar notwendig, dass die Zusammenarbeit der verschiedenen Personen, die sich im Umfeld des Hilfesuchenden befinden, eine positive ist, damit auch die Zusammenarbeit zwischen dem Pädagogen und dem Lernenden reibungslos vonstattengeht, denn diese bildet den Grundstein für den Erfolg. Deshalb sollte auch von Anfang an von beiden Seiten klar zum Ausdruck gebracht werden, was man sich vom Gegenüber erwartet, wie die Unterstützung vom Spezialisten erfolgen kann und was der Lernende dazu beigetragen muss. Alle positiven und auch negativen Punkte sollten vor Beginn besprochen werden. Schönreden kann später zu schweren Irritationen oder noch Schlimmerem führen.

Eine gezielte Hilfe in den Problembereichen zu geben, die schließlich zu Erfolgen führt, ist das erklärte Ziel einer spezifischen Lernförderung. Eine spezielle Förderplanung sollte deshalb am Beginn stehen. Diese kann auf verschiedene Arten erfolgen. Wichtig ist, dass aufgrund dieser Ergebnisse ein individuelles Programm erstellt wird, das den Lernenden dort unterstützt, wo er Probleme hat.

Der Unterricht muss interessant, abwechslungsreich und verständlich gestaltet werden. Gespräche, die auch zu bestimmten Situationen Erklärungen liefern können oder der Motivation und anderen Zwecken dienen, sind absolut keine Zeitverschwendung. Viele Kinder, Jugendliche und Erwachsene haben oftmals nicht die Ansprache, die sie benötigen würden, und sind darüber erfreut, dass ihnen jemand zuhört. Auch Lob ist ein wesentlicher Faktor, den man nicht unterschätzen sollte.

Es ist auch von Vorteil, dass man als Spezialist einen Überblick über Lerninhalte hat, damit man gezielt fördern kann. Deshalb ist im vorliegenden Werk auch zu diesem Thema einiges zu finden, was in der praktischen Arbeit hilfreich sein sollte.

Auch das Thema, ausreichend Materialien für die Feststellung der Problembereiche und für die spezifische Lernförderung den Lernenden zur Verfügung stellen zu können, ist immer sehr aktuell. Dazu findet man zahlreiche Anregungen, die auf der praktischen Erfahrung von unzähligen Spezialisten beruhen, die seit Jahrzehnten auf pädagogisch-didaktischer Ebene Menschen mit Lernproblemen helfen.

Die geschilderten Fallbeispiele sollen Anregungen geben, wie man speziellen Situationen begegnen kann, und auch Ideen liefern, wie ein gedeihlicher Unterricht erfolgen kann. Man wird allerdings niemals auf eine ganz gleiche Situation treffen, wie sie in den Beispielen beschrieben wurde, denn zu vielseitig sind die Anforderungen, die an Menschen, welche mit anderen Menschen arbeiten, gestellt werden.

Leider muss man auch manchmal erkennen, dass es Fälle gibt, in denen alle Mühe vergebens ist. In einer solchen Situation sollte man auch die Kraft aufbringen, die Lernförderung zu beenden. Jeder Spezialist wird irgendwann in so eine Lage kommen. Er sollte sich dann klar vor Augen halten, warum es nicht funktioniert hat, und auf keinen Fall nur bei sich selbst den Fehler suchen.

Schaut man nach einiger Zeit auf seine Arbeit zurück und wird einem bewusst, wie vielen Menschen man geholfen und damit deren Leben zum Positiven verändert hat, nur weil man ihnen einen individuellen Ansatz, der ihren Ansprüchen gerecht geworden ist, gezeigt hat, dann hat sich diese Arbeit wirklich gelohnt. Menschen zu helfen, die Lernprobleme haben, eine individuelle Hilfe zu planen und diese schließlich in stets mühevoller Arbeit in der Praxis umzusetzen, bis sich die Erfolge zeigen, ist eine sehr befriedigende und erfüllende Aufgabe für jeden Pädagogen, der nicht nur mit Verstand und Erfahrung, sondern auch mit Herz und Seele bei der Sache ist.

- Kopp-Duller, Astrid: Der legasthene Mensch. 6. Auflage, 2017.
- Kopp-Duller, Astrid: Legasthenie – Training nach der AFS-Methode. 5. Auflage, 2017.
- Kopp-Duller, Astrid: Legasthenie und LRS. Der praktische Ratgeber für Eltern. 2003.
- Kopp-Duller, Astrid; Pailer-Duller, Livia R.: Dyskalkulie im Erwachsenenalter. Praktische Hilfe bei Rechenproblemen. 2012.
- Kopp-Duller, Astrid; Pailer-Duller, Livia R.: Dyskalkulie – Training nach der AFS-Methode. 5. Auflage, 2018.
- Kopp-Duller, Astrid; Pailer-Duller, Livia R.: Legasthenie – Dyskalkulie !? Die Bedeutsamkeit der pädagogisch-didaktischen Hilfe bei Legasthenie, Dyskalkulie und anderen Schwierigkeiten beim Schreiben, Lesen und Rechnen. 2. Auflage, 2015.
- Kopp-Duller, Astrid; Pailer-Duller, Livia R.: Legasthenie im Erwachsenenalter. Praktische Hilfe bei Schreib- und Leseproblemen. 4. Auflage, 2017.
- Kopp-Duller, Astrid; Pailer-Duller, Livia R.: Legasthenie und Fremdsprache Englisch – Training nach der AFS-Methode. 2013.
- Kopp-Duller, Astrid; Pailer-Duller, Livia R.: Training der Sinneswahrnehmungen im Vorschulalter. Erfolgreich einer Legasthenie und Dyskalkulie vorbeugen. 4. Auflage, 2017.
- Pailer-Duller, Livia R.: Multicultural Differences in Sensory Perceptions of Dyslexic Students: An Analysis of 33,000 AFS-Test Records in Six Languages. 2019.